Purushâyata, « *Missionnaire* » *inversé*

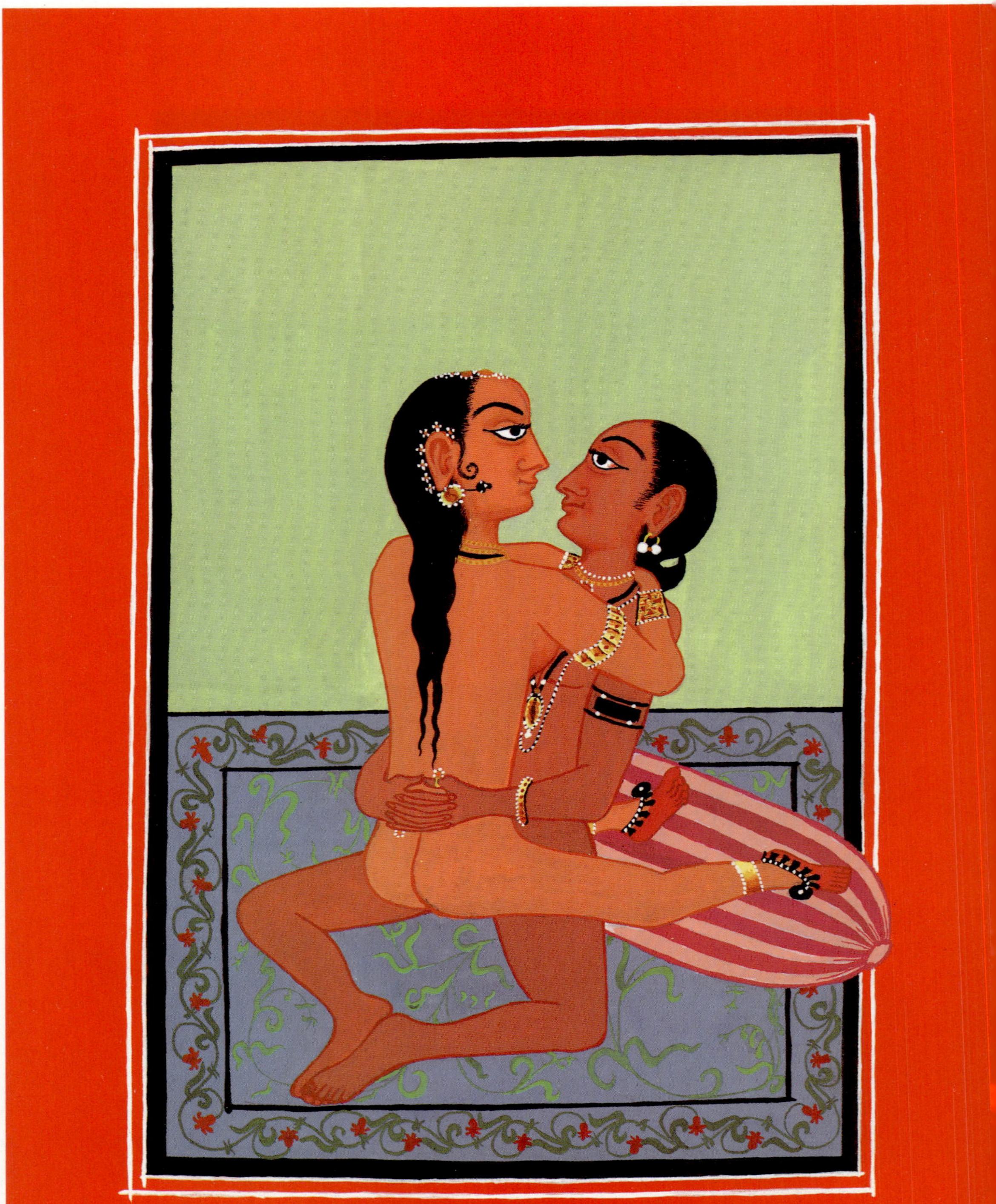

Upavishta, *posture assise*

Upavishta (*ou* Sukhâsana) *sur un pouf*

Uttana Bandha, *variante du « Missionnaire »*

Tiryakâsana, *la pose latérale*

Janujugmâsana, *la pose en X*

Janujugmâsana, *variante croisée*

Variante de la pose en X

5
Le rituel tantrique

La Voie de la Vallée

La voie tantrique dite « de la Vallée » est la plus facile, notamment pour le contrôle de l'éjaculation, car ce type d'union peu « mouvementée » est basée sur la relaxation physique et mentale. On pourrait la juger peu « excitante », ce qui est relativement vrai. Elle nous ouvre, néanmoins, tout un monde inconnu de sensations et d'expériences, elle engendre une plénitude prolongée et accomplit l'intégration totale de deux êtres, corps, mental et esprit, source de félicité inconnue des couples ordinaires de notre Occident pressé.

L'expérience divergente

Grâce notamment à la Voie de la Vallée, le tantrique parvient à « féminiser » son expérience de la sexualité. Pour l'homme « ordinaire », l'acte sexuel, centré sur le pôle de l'espèce, c'est-à-dire dans les organes génitaux, est une expérience *convergente* dans l'espace et dans le temps. En d'autres termes, son vécu tend à se rétrécir de plus en plus. La femme éveille son désir, puis, dès que l'érection s'installe, son vécu s'investit dans une zone de plus en plus réduite, la zone génitale. Une fois inséré dans le vagin, son pénis accapare toute son attention qui tend, peu à peu, à se focaliser dans les sensations perçues dans le gland. Parallèlement, son expérience se rétracte aussi dans le temps : elle converge vers le bref instant de plaisir de l'éjaculation. Après quoi son désir retombe aussitôt, il se retire et se détourne de la femme.

Pour le tantrique, au contraire, même en dehors du rituel, le maïthuna est une expérience *divergente* de type féminin. En effet, chez la femme, le vécu sexuel, loin de se borner au vagin et au pénis qu'il enserre, déborde progressivement de la sphère génitale, diffuse dans tout son corps et, quand vient l'orgasme, il implique chaque fibre de sa chair puis envahit son être. L'extase tend aussi à s'intensifier, à se prolonger, donc à s'étendre dans le temps. Très longtemps après la fin du contact, ses échos résonnent encore en eux.

Cette expérience diffuse est aussi celle du tantrique qui ne s'accouple pas à un vagin mais s'unit à l'être total, à la femme physique, psychique et cosmique c'est-à-dire à l'incarnation de la Shakti. Quand le lingam a établi le contact intime, s'il perçoit le yoni, le shiva participe au désir et à l'émotion érotique de la shakti. A partir du lingam, son expérience érotique fait tache d'huile, gagne progressivement tout le ventre, voyage le long de sa colonne vertébrale et, enfin, fait vibrer chaque cellule de son corps. Il participe intensément à l'émotion sexuelle ultime de la shakti quand elle vit un profond orgasme. Il perçoit ainsi l'être secret de la femme, sans chercher à s'approprier son corps, ni son sexe. Il ne pense pas « c'est ma femme, son sexe et sa sexualité m'appartiennent ». Il perçoit, dans le sexe, l'expression du pouvoir créateur cosmique suprapersonnel. Uni à la shakti, tout son corps devient organe sexuel, pas seulement le lingam, comme dans l'union ordinaire.

En pratique

Toutefois, avant d'en aborder la pratique, voyons d'abord la ou les positions appropriées.

La position occidentale usuelle, celle dite « du missionnaire », ne convient guère : elle fatigue la shakti, qui doit supporter longtemps le poids de l'homme allongé sur elle, surtout s'il se relaxe, ce qui devrait être le cas. Or, dans la Voie de la Vallée, l'union peut durer jusqu'à deux heures et plus... La somnolence, loin d'être un inconvénient, fait affleurer l'inconscient et permet des échanges magnétiques et psychiques intenses : dans le sommeil les échanges se font sur un plan psychique subtil.

La position à califourchon, *Purushayata,* convient pourvu que la relaxation soit rendue possible par des coussins placés dans le dos des partenaires.

Dans l'optique du tantra, on peut opter pour l'attitude en opposition, dite en X, horizontale ou inclinée à environ 45°. (Voir le chapitre relatif aux âsanas de maïthuna). Cette âsana traditionnelle et spécifiquement tantrique, favorise la circulation des énergies subtiles, tout en permettant une relaxation poussée avec un contact sexuel correct ; les mouvements sont limités ou inexistants. Détail pratique : sous nos climats souvent froids, il faut se couvrir, car la relaxation abaisse vite la température du corps et l'inconfort compromet la réussite de l'expérience. Avantage non négligeable : dans cette âsana, le contrôle de l'éjaculation ne pose aucun problème.

Une autre position favorable est la pose latérale *Paryankâsana,* dite aussi de « von Urban ». Bien qu'asymétrique, elle permet une relaxation profonde et convient aux circonstances occidentales (lit, couvertures, etc.).

La Voie de la Vallée implique une immobilité relative. Les mouvements sont limités, peu amples et contrôlés, tant chez le shiva que chez la shakti : un seul partenaire est actif, l'autre demeurant passif et détendu.

C'est souvent la shakti qui bouge, par exemple pour entretenir l'érection, qui ne doit pas nécessairement être du style triomphant pendant tout le contact. Même si le lingam est semirigide, la shakti peut vivre une expérience intense et c'est pareil pour le shiva. Les fluctuations de l'érection sont normales et font partie de la règle du jeu. Si, spontanément, une ondulation rythmée naît dans le corps de la shakti, elle peut s'y abandonner, quitte à la réprimer si les mouvements s'amplifient et s'accélèrent. En effet, ils risqueraient d'interrompre l'expérience, soit par l'expulsion du lingam si l'érection est trop faible, soit par une éjaculation indésirable. Dans la Voie de la Vallée, la shakti peut ainsi accéder à un orgasme d'un autre type, c'est-à-dire vécu presque uniquement au pôle « individu », le cerveau, plutôt qu'au pôle de l'espèce, les organes génitaux, comme c'est le cas ordinaire.

L'inverse peut aussi se produire, la shakti se relaxant et le shiva entretenant les mouvements limités, spontanés mais contrôlés, ce qui paraît contradictoire. En fait, on laisse le corps lui-même les déclencher (ils sont donc spontanés) tandis que le mental les observe et les contrôle si l'amplitude et le rythme mettent leur maîtrise en danger.

Les rôles peuvent alterner : d'abord la shakti mène le jeu, puis le shiva, ou l'inverse, entrecoupé de phases d'immobilité et de langage secret, c'est-à-dire de contractions vaginales auxquelles le lingam répond. Eviter de « penser » les mouvements, d'intellectualiser l'acte qui doit néanmoins rester conscient. Le couple demeure ainsi réceptif, disponible à toutes les nuances de l'expérience au niveau génital comme à celui du corps entier. Une sensation ineffable de fusion est, en principe, un aboutissement normal dans la Voie de la Vallée. En principe car, au début, elle paraît moins satisfaisante que les contacts usuels non tantriques, mais bientôt l'exploration de cet univers nouveau fascine.

D'ailleurs, on ne propose pas de se « convertir » une fois pour toutes à ce type d'union et d'en faire son menu exclusif : une voie n'exclut jamais l'autre. La Voie de la Vallée permet au shiva de rester indéfiniment en contact et de constater qu'inhiber l'éjaculation ne pose aucun problème et ne réduit pas, bien au contraire, la volupté sexuelle.

L'expérience « Carezza »

Un régime d'union sexuelle fort similaire à la Voie de la Vallée a été « découvert » et pratiqué en Occident : la méthode Carezza. Sans être du tantrisme déguisé — il lui manque tout le contexte ritualisé et sacralisé —, il a bien des points communs avec la Voie de la Vallée et réfute une objection au tantrisme qui consiste à douter de son « applicabilité » en Occident.

Carezza fut « inventée » en 1844, par l'Américain John Humphrey Noyes, fondateur de la communauté Oneida, qui l'appela *Carezza,* mot italien qui se passe de traduction ! Noyes l'appelait aussi la « rétention masculine ». Aux Etats-Unis, la méthode s'implanta et connut un franc succès avant la première guerre mondiale, époque où Alice Stockham, une ardente propagandiste de la méthode, écrivait : « Carezza est la forme la plus élevée et la plus parfaite de l'art d'aimer, où ni la femme ni l'homme ne désirent et ne recherchent l'orgasme. » Un autre fervent supporter aux U.S.A. fut J. William Lloyd. C'est surtout à ces deux auteurs que je me réfère dans les pages suivantes.

Pour Carezza, la règle est ultra-simple : tout est permis, sauf éjaculer, et si cela se produit, jamais dans le vagin, donc l'homme doit se retirer. L'orgasme féminin est accepté, sauf s'il compromet la « rétention masculine ».

Pour Carezza, « éjaculation » et « orgasme mâle » sont synonymes. Pour le tantra, l'éjaculation sabote l'orgasme mâle mais si elle se produit, elle a lieu dans le vagin. Carezza a pourtant bien failli découvrir qu'orgasme et éjaculation sont deux choses bien distinctes. Ainsi, Alice Stockham admet — et je la cite — la « possibilité pour l'homme d'éprouver l'orgasme *sans éjaculer*, à la manière de la femme qui n'a pas de semence à émettre ». Maintenant, voyons ce que Carezza, comme le tantra, promet à ses adeptes.

Tout d'abord Carezza présuppose dans le couple un amour profond et le désir de transposer la sexualité sur un plan autre que l'ordinaire. J. William Lloyd écrit : « La première religion de l'homme fut basée sur la sexualité et c'est par elle seule que nous pouvons retrouver notre véritable origine », phrase digne d'un tantrique. Carezza considère l'union sexuelle comme une véritable fête amoureuse et, toujours en accord avec le tantra, l'éjaculation comme un incident maladroit et grossier, voire inesthétique, qui tue pour un temps tout désir de rapprochement avec la femme. Tel homme qui, voici quelques instants, était pris de frénésie sexuelle, après avoir éjaculé, se détourne de la femme que cette indifférence blesse dans son amour-propre et dans son amour, tout court.

J. William Lloyd compare l'union sexuelle avec éjaculation, à un feu d'artifice interrompu par la maladresse de l'artificier qui ferait exploser d'un seul coup tout le stock de fusées. Pour lui, éjaculer souvent tue à coup sûr l'amour vrai et empêche sa sublimation.

Pour Carezza, l'union des sexes est un échange, basé sur le contact humain le plus intime, qui ne se réalise pleinement que s'il est prolongé.

Carezza ne préconise aucune position particulière mais conseille d'éviter les mouvements rythmés, prolongés et s'accélérant, qui mènent à l'éjaculation, mais, au contraire, de varier le rythme, l'ampleur et la durée des mouvements, quitte, en cas d'alerte, à s'immobiliser le temps que s'éloigne le danger.

Carezza a redécouvert un aspect capital du maïthuna tantrique, notamment dans de la Voie de la Vallée, celui des échanges prâniques, magnétiques.

Albert Chavannes, un autre enthousiaste de Carezza, sans doute Français, appelle « magnétisation » ce que le tantra nomme « échanges prâniques ». Il affirme que les organes sexuels féminins et masculins sont magnétiquement polarisés.

J. William Lloyd écrit : « D'habitude c'est l'homme, artiste du contact, qui est actif tandis que la femme est passive comme l'aimant qui attire. Voilà pourquoi l'homme qui veut réussir Carezza doit s'exercer à l'art des caresses et des contacts magnétiques. Il doit se considérer pareil à une pile électrique, sa main droite étant le pôle positif, sa gauche le négatif. Lorsque ses mains entrent en contact avec un être humain réceptif, un courant électrique est engendré et mis en circulation. Il doit sentir ce courant électrique s'écouler de son côté gauche vers le côté droit de la femme, et obtenir qu'il obéisse à sa volonté afin de le diriger. S'il la touche d'une seule main, il sentira réagir cette partie du corps de la femme sous l'influence de son magnétisme.

» De plus, en acquérant la maîtrise de ce courant, il pourra l'envoyer dans les parties du corps ou dans les centres nerveux de l'être aimé qu'il souhaite charger, exciter ou calmer magnétiquement. Il doit persévérer jusqu'à ce que ceci devienne pour lui une certitude. On peut s'exercer à percevoir ces courants magnétiques sur soi-même pour apaiser des douleurs par le contact de la main.

» Qu'on me comprenne bien, Carezza peut magnifiquement réussir en ignorant cela, tout simplement parce que ce magnétisme naturel est présent et que l'intuition nous guide vers des actions correctes ; toutefois, dans ce domaine aussi, un savoir conscient et la volonté de diriger soi-même ces forces est bénéfique.

» Ce contact magnétique s'est montré efficace pour fortifier les débiles et guérir des malades. Nous comprenons ainsi comment et pourquoi Carezza, pratiquée correctement, est bénéfique pour la santé. Des effets néfastes sont totalement exclus. Harry Gaze affirme que Carezza entretient l'amour et confère la confiance joyeuse, la beauté et la juvénilité jusqu'à un âge très avancé.

» C'est pourquoi il faut apprendre à toucher l'aimée, de telle façon que ce courant d'électricité vitale parcoure son corps d'un frisson extatique, tandis qu'il la libère de sa propre énergie accumulée. De même, la femme engendre des forces magnétiques qu'elle pourra laisser déborder dans l'homme, le satisfaisant si pleinement que tout sentiment de perte quelconque est prévenu et qu'elle lui procure la félicité. L'afflux et l'échange de ces énergies conduisent à un équilibre total et à un repos bienfaisant.

» Chez l'expert dans l'art d'aimer, ce magnétisme émane du bout des doigts, des paumes, irradie par les yeux, émane du son de sa voix et peut se transmettre dans n'importe quelle partie du corps de l'un à l'autre, même par son aura, d'une manière invisible et sans contact physique. »

Ce texte, que je n'ai pas voulu tronquer, pourrait, à quelques détails de vocabulaire près, venir d'un traité tantrique !

J. William Lloyd écrit encore :

« Quand Carezza est pratiquée avec succès, les organes génitaux sont tout aussi apaisés, démagnétisés que par une éjaculation. Tandis qu'émanent du corps des amants une force merveilleuse et une joie consciente, ils se reposent dans une douce satisfaction, comme après un jeu heureux. Tout leur être rayonne de joie amoureuse et romantique, est envahi par un sentiment de santé, de pureté, de vitalité. Nous sommes comblés de bonheur et de gratitude, comme après un festin béni.

» Qu'en est-il, par contre, après l'éjaculation? La constatation générale est que, passé les premiers instants d'agréable détente, accompagnée d'une sensation de libération, suit bientôt le sentiment d'avoir subi une perte, de s'être affaibli : la merveilleuse vision de rêve dissipée, l'homme est dégrisé. Bien sûr, il a vécu un bref instant de passion, mais si fugace, pareil à une crise épileptique qui ne laisse aucun souvenir, aucune trace. Les lumières sont éteintes, la musique s'est tue, la fête est finie avant d'avoir vraiment commencé. Parfois, la faiblesse subséquente est telle qu'elle provoque une pâleur, des vertiges, des troubles digestifs, de l'irritation, de la déception, de la honte même, voire de la rancune. C'est vrai pour l'homme, mais aussi pour la femme, déçue par la fin abrupte d'une merveilleuse expérience. Dans la plupart des cas, las, indifférent l'homme s'endort. L'ardeur amoureuse a disparu.

» Avec Carezza, il en va tout autrement. Les amants se séparent graduellement, avec un doux regret, s'attardent, échangent des baisers, demeurent enlacés, se câlinent. Rayonnants d'amour et d'admiration, ils laissent retentir en eux l'écho de cette félicité qui ne s'effacera jamais. »

Cet éloge est-il trop dithyrambique ? En tout cas, il reflète le style qui imprègne toute sa littérature. Quoi qu'il en soit, Carezza prouve, au minimum, que cette voie convient à l'Occident. Pour Carezza comme pour le tantra la sexualité banale, localisée et limitée au contact génital, est une névrose. Le remède? Maïthuna, l'union tantrique !

Maïthuna, l'union tantrique

Dans le maïthuna, l'homme reste souvent passif : il évite tout ce qui provoquerait l'éjaculation. La shakti est active et garde l'initiative pendant le déroulement du rite. L'homme est réceptif, la shakti donne le ton. Il est indifférent que l'érection tienne ou non jusqu'au bout : il suffit de pouvoir rester unis. Dans le tantra, c'est plus la shakti que le shiva qui capte et transmet les rythmes cosmiques de la lune, du soleil, de la terre. Pour connaître l'extase, l'homme doit rester longtemps uni à la shakti, s'imprégner de son énergie magnétique, jusqu'à ce que la « divine vibration » l'envahisse. Il suffit pour cela d'une attention détendue mais sans faille à tout ce qui se passe dans le corps, aux échanges qui s'effectuent.

Cette union peut — et devrait — durer jusqu'à deux heures et plus. Le shiva doit s'abandonner à la perception sensuelle de la femme, sentir son sang pulser, vibrer à son diapason, *respirer à son rythme* (très important !) : alors surgira l'expérience extatique.

Rita Ashby, une tantrique californienne dit : « La shakti tantrique fleurit littéralement. Sa peau brille de tout l'éclat de l'Eros, son regard ouvert et innocent captive tous ceux vers qui il se dirige. Le tantra est une forme d'adoration qui donne à la shakti confiance en elle-même. Chaque femme est l'épouse de Shiva. Shakti ! Shakta ! Même l'orgasme de la shakti reste une simple éventualité sans réelle importance, car la femme n'est pas tellement orientée vers le génital. Au contraire de l'éjaculation chez l'homme, l'orgasme féminin attise le feu divin de la jouissance, au lieu de l'éteindre. »

Et Ted Ashby, son partenaire, ajoute : « Après s'être aimés pendant des heures, on est disponible à tout : faire de la musique, danser comme un dieu, ou encore faire du tantra avec un groupe d'adeptes, dans le cercle magique où chacun, se tenant par les mains, perçoit les vibrations et le magnétisme des autres. Le tantrique n'essaie pas d'imposer son identité isolée. Il est pleinement "ici" et "maintenant", il est en vie et devient la Vie. Vous êtes *un* avec votre partenaire et prêt à devenir *un* avec toutes les merveilles de l'Etre. »

Néanmoins, Carezza, pas plus que la Voie de la Vallée, ne condamne ses adeptes à l'immobilité perpétuelle. Outre le langage secret, si propice aux échanges réciproques, tous les mouvements sont permis pourvu qu'ils ne fassent pas éjaculer. Au contraire, ses adeptes ont l'heureuse surprise de découvrir que tout ce qui, dans l'union ordinaire amène l'éjaculation, devient possible sans causer « l'incident » et sans la préoccupation constante d'avoir à se maîtriser.

Le tantra libère l'homme du réflexe éjaculatoire, sans difficultés majeures. Bien sûr, un couple habitué depuis des années à l'amour « normal », ne se déconditionne pas du jour au lendemain. Au début, l'homme ne réussira peut-être qu'une fois sur deux ou trois à éviter l'éjaculation, parfois faute de coopération de la part de la partenaire, elle-même conditionnée par l'issue habituelle du contact sexuel et qui peut, comme l'homme, trouver ce genre d'union moins satisfaisante au début.

Il suffit simplement de persévérer pour aller ainsi de découverte en découverte car la Voie de la Vallée est la voie la plus facile vers la méditation à deux.

Au sujet de la méditation à deux, à ses débuts, Rajneesh a écrit de belles choses, comme cet extrait de la revue *Sannyas,* de février 1971 :

« Faites du sexe une méditation à deux. Ne le combattez pas, ne vous y opposez pas. Soyez amical vis-à-vis du sexe. Vous êtes une parcelle de la nature ! En fait, l'acte sexuel n'est pas un dialogue entre un homme et une femme, c'est celui de l'homme avec la nature, à travers la femme, et de la femme avec la nature, à travers l'homme. Pendant un instant vous vous insérez dans le courant cosmique, dans l'harmonie céleste, vous êtes accordé au Tout. Ainsi l'homme s'accomplit à travers la femme et la femme à travers l'homme.

» Quand vous serez capable d'être le spectateur de votre acte sexuel, vous le transcenderez, parce qu'en l'observant vous vous en libérez.

» Quant à l'homme, ce n'est guère qu'à travers l'acte sexuel qu'il devient capable d'être le spectateur de ses profondeurs intérieures.

» Voici le secret de l'ouverture d'une nouvelle porte. Si vous allez inconsciemment dans le sexe, vous n'êtes qu'un instrument aveugle entre les mains de l'évolution biologique. *Vous* n'êtes pas vraiment là. L'évolution se fraie son cheminement inconnu à travers vous et *vous* serez rejeté ! Si vous devenez capable d'être conscient dans l'acte sexuel, il devient une profonde méditation. » L'immobilité relative de la voie de la Vallée y est très propice.

Le rythme du Maïthuna

La vie est rythme ! Or, dans l'union profane du style « occidental », c'est l'homme qui contrôle les opérations et notamment les mouvement coïtaux. Sans s'en rendre compte, tant il trouve que cela va de soi, l'homme impose en général *son* rythme à sa partenaire et souvent il bouge à contre-rythme par rapport à elle. Un peu comme s'il lui imposait un tango tandis qu'elle écouterait et souhaiterait la valse ! Certes, au bal, c'est le cavalier qui guide la danseuse, mais c'est moins grave : le couple suit le rythme de l'orchestre et, de ce fait, leurs mouvements s'épousent.

Le maïthuna devrait être une danse où le shiva épouserait le rythme de la shakti. Ce rythme varie non seulement d'une femme à l'autre, mais d'un jour à l'autre, d'un instant à l'autre. Alors, Messieurs, que faut-il « faire » ? Justement, nous devons savoir et accepter qu'il n'y a rien à « faire » mais tout à « laisser se faire ». Avec une shakti expérimentée, ce sera assez facile : il suffit d'attendre qu'elle prenne l'initiative des mouvements et la suivre. Par contre, si elle a été conditionnée à subir passivement le rythme mâle, ce sera un peu plus délicat. Il devra rester très attentif et totalement réceptif à l'expérience de la shakti, observer le rythme respiratoire de la femme en évitant de bouger volontairement. Si rien ne se produit, il suffit souvent d'attendre que, l'émotion érotique aidant, de légers mouvements spontanés se déclenchent chez la shakti, puis de les épouser. Oui, c'est bien le mot, qu'il faut épouser ! Le shiva doit épouser souplement, harmonieusement, le rythme de la shakti, qu'il soit lent ou rapide, ample ou superficiel.

Le shiva n'a rien à perdre en abandonnant sa position dominante, bien au contraire ! Au lieu d'une femme « sac de farine », il trouvera une partenaire épanouie et vivante, une vraie shakti tantrique.

Ce dessin du Ledakant *de Rembrandt (c. 1646), montre qu'à cette époque aussi la position dite « du missionnaire » était la favorite. Bien que seuls, les partenaires s'accouplent habillés. Ce genre de coït, qu'on peut qualifier d'utilitaire, suffit sans doute à satisfaire la pulsion sexuelle — du mâle surtout — et à assurer une descendance, mais c'est à l'antipode de l'ambiance tantrique…*

Les âsanas de Maïthuna

Toute union sexuelle, humaine ou animale, voire même végétale, est sacrée : elle reproduit l'acte créateur ultime, l'union des principes cosmiques Shakti-Shiva, cause de l'univers manifesté.

Pour le tantra, tout contact sexuel, aussi banal soit-il, est sacré, cosmique, même si les acteurs l'ignorent comme c'est le cas le plus fréquent. C'est ce qui distingue d'ailleurs l'union tantrique du coït profane et il faut s'en souvenir en abordant les âsanas du rituel tantrique.

Le tantra, qui vise à « diviniser » les partenaires et leur sexualité, n'est pas de l'érotisme, sinon le *Kama Sutra* et autres *Koka Shastras*, seraient tantriques. Le but avoué — et légitime — de ces traités étant d'augmenter la volupté sensuelle, ils proposent une profusion de techniques sexuelles, notamment de positions amoureuses. Il suffirait, à première vue, d'y puiser les âsanas de maïthuna tantriques.

En fait, les âsanas traditionnelles pour la méditation à deux, spécifiques du rite tantrique, sont peu nombreuses. Leurs critères ? Les gurus tantriques les ont choisies confortables, pour pouvoir prolonger l'union sexuelle parfois pendant des heures, sans devoir changer souvent d'âsana, ce qui perturberait l'intériorisation. Souvent leur confort est tel qu'il permet une relaxation physique et mentale si totale qu'elle mène aux états de conscience différents, ou au sommeil, ce qui n'est pas un défaut absolu. L'âsana doit aussi favoriser les échanges magnétiques, prâniques et faciliter le contrôle séminal. C'est pourquoi certaines sont délibérément peu « excitantes ».

A cet égard, le tantrisme écarte, au début tout au moins, la pose la plus usitée par le couple concerné. En Occident, c'est souvent celle dite « du missionnaire » *(Uttana bandha*, en sanskrit), où l'homme est couché sur la femme, nom que lui auraient donné des Noirs ayant épié, à travers les fentes de la case, les ébats amoureux d'un pasteur et de sa femme ! Cette position, inusitée pour eux, les amusait beaucoup. A ce propos — la pudibonderie n'est pas morte —, même aujourd'hui, certaines femmes refusent obstinément toutes les autres positions, cataloguées « perverses » !

La seule raison pour laquelle le tantra déconseille la position la plus usuelle, c'est parce qu'elle ne facilite pas le contrôle séminal. En effet, si, pendant des années une position déterminée a été associée à l'éjaculation, un réflexe conditionné (Pavlov !) très puissant s'est créé. Il est plus facile — ou... moins difficile ! — de se contrôler en changeant les règles du jeu, à commencer par la position.

Rajneesh a écrit : « Que les partenaires adoptent beaucoup de positions ou non, ils se relaxeront. Cela dépend de la force vitale, pas du mental. Il ne faut rien décider d'avance. La décision, voilà le problème. Même pour faire l'amour vous décidez, vous consultez les livres qui expliquent comment faire. Ceci montre quel type de mental humain s'est développé. Si vous consultez des livres même pour faire l'amour, cela devient cérébral ; vous cérébralisez tout. »

Le néo-tantra de Rajneesh est surtout du no-tantra en ce sens qu'il s'écarte totalement de la tradition tantrique, ce qu'il ne nie pas ! Alors, après ces phrases péremptoires, faut-il décrire les âsanas tantriques traditionnelles ?

Oui, bien sûr ! Et ce « oui », je l'appuie sur un exemple. En vacances, quand je nage dans la Méditerranée, au départ je ne prévois rien, je laisse mon corps décider au fur et à mesure du type de nage à utiliser. Selon l'humeur et les circonstances, ce sera la brasse-à-papa, relaxée, la tête hors de l'eau, le nez au vent, question de voir ce qui se passe autour de moi, tout en sentant mon corps enveloppé par la « grande bleue ». Mais, selon l'état de la mer ou pour dépenser un trop-plein d'énergie, demain ce sera sans doute le crawl. Je ne « pense » pas mes mouvements, je n'intellectualise rien, je m'abandonne à la mer.

Alors, d'où vient cette liberté, cette spontanéité, sinon des leçons du maître-nageur, enroué à force de crier : « Une... pliez... deux, trois ! » Aujourd'hui, ils sont bien oubliés, le maître-nageur, la piscine et son eau javellisée : aujourd'hui, je nage et c'est tout !

C'est pareil pour les âsanas et techniques proposées par le tantra. Pourquoi chaque couple devrait-il réinventer les positions tantriques, d'ailleurs beaucoup moins nombreuses que celles de l'amour profane, qui n'est ni condamné, ni rejeté par les tantriques ? Pourquoi se priver de cette expérience millénaire ? D'ailleurs, quand un couple, aidé du livre, aura pris une âsana déterminée, ne serait-ce qu'une seule fois, dès la prochaine expérience il en oubliera la description ! Le tantrique n'est évidemment pas l'amant-savant, l'élève appliqué, qui a bachoté les livres et qui, au dodo, commence par les caresses prescrites pour le prélude, etc. et c'est tout juste s'il n'a pas son livre ouvert sur l'oreiller ! C'est débordant de bonnes intentions et même touchant, mais est-ce suffisant pour enflammer la femme, à moins qu'elle ne s'embrase toute seule ?

Purushâyata

Le terrain étant déblayé, venons-en

aux positions. Commençons par inverser le « missionnaire », donc par placer la shakti en position supérieure. Dans l'iconographie tantrique, Rati et Kâma s'unissent dans cette position sous la déesse Chinnamastâ.

Ses avantages : la shakti a l'initiative des mouvements et contrôle l'expérience. Quant au shiva, s'il ne peut guère bouger, il peut, par contre, mieux se relaxer, s'abandonner.

Pour la shakti, la position n'est pas nécessairement très confortable et elle pourrait souhaiter en changer, ce qui perturberait l'expérience. Cet inconvénient n'est cependant pas absolu car, pendant la période d'apprentissage du contrôle de l'éjaculation, changer d'âsana au moment opportun fait baisser la tension érotique et facilite le contrôle.

Cette position permet aussi l'union inversée, dans laquelle le shiva s'identifie à une shakti et adopte *exactement* la pose usuelle de la femme dans le « missionnaire » : il sera donc couché sur le dos, les jambes écartées, tandis que la shakti jouera le rôle de l'homme dans l'union usuelle et garde ses jambes serrées. Le shiva et la shakti peuvent ainsi « inverser » l'union et, pour ainsi dire, « changer de sexe », s'imprégner de l'expérience féminine en s'imaginant femme et vice versa.

Dans le Sud de l'Inde, cette position est particulièrement prisée car elle intensifie au maximum l'expérience érotique, surtout pour la shakti.

En effet, cette position donne l'initiative à la shakti qui est très libre de ses mouvements. En Occident, le plus souvent elle soulève et abaisse amplement son bassin, car elle aime ces longs mouvements de pénétration dont elle règle le rythme à sa guise. Le shiva les apprécie lui aussi mais, hélas !, ce sont précisément ces amples va-et-vient qui provoquent le plus vite une éjaculation inopportune.

Pour cette âsana, le tantra propose ce que le couple tantrique indien Kale appelle le *corkscrew*, le tire-bouchon, qui fait la réputation des shaktis tamoules : « La shakti étant couchée sur le shiva, lui-même allongé sur le dos, le lingam étant inséré, l'homme imprime un mouvement de rotation à son bassin, comme celui des effeuilleuses d'antan. A cet effet, il durcit et relaxe en succession les fessiers, ce qui soulève et abaisse son bassin ; simultanément, avec les muscles du bas du dos, il fait faire un mouvement de rotation-ponçage au pubis. Ce va-et-vient, bien que limité, combiné à la rotation entraîne un mouvement spiralé du lingam, ce qui stimule intensément le yoni et provoque une forte jouissance. La yoginî, qui suit ce mouvement avec attention, l'amplifie en le synchronisant avec la rotation de ses propres hanches.

» Quand le « tire-bouchon » est pratiqué dans la position du missionnaire, elle ajoute aux mouvements de rotation, de montée et de descente du bassin une "contraction-succion" vaginale comme pour "traire" le lingam. L'effet conjugué de ces actions : rotation, va-et-vient, contraction-succion donne une stimulation sexuelle incroyable. »

Je suis sûr que, comme moi, vous les croyez sur parole, mais chacun pensera sans doute que le shiva, soumis à ce régime, doit avoir un grand contrôle sur lui-même pour ne pas déraper ! En fait, malgré les apparences, ce risque est plus réduit que si la shakti faisait les amples mouvements usuels du bassin. Grâce au *corkscrew* la shakti aura une stimulation maximum avec un minimum de mouvements, d'où souvent des orgasmes fulgurants, prolongés et répétés. Les mouvements rotatifs du bassin mâle, dont le pubis reste accolé à celui de la shakti, surexcitent le clitoris tout en stimulant les parois du yoni. Ajoutons-y la succion effectuée par les contractions vaginales et cela donne un mélange explosif pour la shakti, très voluptueux pour le shiva, quoique sans hyperexcitation du lingam qui risquerait de le faire éjaculer.

Le couple Kale précise que cela s'applique aussi à la position du missionnaire, mais avec des aménagements. En effet, dans la position inversée, quand shiva serre et desserre les fesses il produit un mouvement de va-et-vient, *parce que ses fesses sont sur un appui ferme,* ce qui n'est pas vrai quand c'est lui qui est allongé sur la shakti. Dans ce cas, c'est *elle* qui bénéficie du support pour ses fesses et c'est donc elle qui doit les serrer et les desserrer rythmiquement. Eventuellement, elle peut amplifier un peu ce va-et-vient par de discrets basculements du bassin. La contraction des fesses facilite d'ailleurs ses contractions vaginales pour « traire » le lingam. Ainsi, il y a presque inversion des rôles en passant de la position shiva-dessous à shiva-dessus. Dans les deux cas, il faut maintenir le contact intime avec le clitoris de la shakti, laquelle ne laissera pas son pubis perdre le contact avec celui du shiva pendant le ponçage rotatif.

Upavishta, posture assise

Upavishta, qui signifie « posture assise », désigne plus une catégorie d'âsanas qu'une pose déterminée. Dans toutes les variantes de la position assise, la shakti est à califourchon sur le shiva — ou à *Kali*fourchon... La plus simple, c'est *Sukhâsana*, la posture heureuse, *sukha,* le bonheur, étant l'opposé de *duhkha,* la souffrance.

Dans cette posture, l'adepte, assis sur un tapis ou sur un matelas mince, les jambes croisées dans la pose du tailleur, accueille la shakti qui se place ainsi en position supérieure ; lui faisant face, elle l'embrasse et lui pose les mains, soit sur les épaules, soit autour du cou.

Si la partenaire est légère, cette position reste confortable même en cas d'union prolongée. Elle convient pour la Voie de la Vallée comme pour la Voie Abrupte. Peu érotique, elle facilite le contrôle séminal, les mouvements de va-et-vient étant plutôt limités ; elle favorise aussi le « langage secret ».

Upavishta, variante asymétrique

Dans cette variante asymétrique d'Upavishta — peu connue —, au départ la shakti est assise au sol, seuls le coccyx et les fesses touchant le tapis. Elle est donc un peu penchée en arrière et garde les mains au sol pour se tenir en équilibre. Le shiva étant placé dans la même position, le lingam et le yoni se font face.

Puis la shakti pose sa cuisse droite sur la cuisse gauche du partenaire, qui met sa cuisse droite sur la gauche de la shakti. Quand l'union yoni-lingam est réalisée, les corps étant un peu inclinés en arrière, ils se tiennent mutuellement le haut des bras avec les mains.

Cette variante est idéale pour la « fusion par le regard ». Le couple se regarde les yeux dans les yeux — ce qui engendre un intense courant psychique —, ou entre les deux yeux, vers le milieu du front, vers Ajna Chakra. Dans les deux cas le regard reste fixe, les yeux un peu écarquillés et, si possible, sans ciller, comme dans le *tratak* (cf. mon livre *Ma Séance de yoga* p. 279).

Cette position favorise aussi le « langage secret » qui requiert l'immobilité corporelle au bénéfice de l'échange de contractions rythmées entre le yoni et le lingam, mais le plus souvent elle sert à l'union « rythmée ». En effet, les talons, posés sur le sol et y prenant appui, permettent de légères poussées créant un balancement qui sera synchrone avec le rythme respiratoire.

Ce rythme doit être très régulier et il faut « polariser » le souffle, c'est-à-dire inspirer en basculant vers l'arrière pour expirer ensuite au retour vers l'avant. Résultat : quand *il* inspire, *elle* expire.

Nécessairement aussi la respiration sera « égalisée », ce qui signifie que l'inspiration durera exactement aussi longtemps que l'expiration. Le balancement s'accompagne soit du *Om*, répété intérieurement sur l'inspiration et sur l'expiration, soit du mantra particulier qui leur aurait été donné par leur gourou.

Peu érotique, *Sukhâsana* crée, par contre, un état de fascination réciproque et un changement d'état de conscience proche de l'hypnose ; il établit un rapport mutuel intense, surtout si les partenaires, exercés à la pratique de tratak, se fixent pendant au moins deux minutes sans ciller. Quand on ne peut plus garder les yeux ouverts sans ciller et que les larmes sont sur le point de couler, on clôt les yeux tout en restant psychiquement branchés l'un sur l'autre. Des états de fusion, d'interpénétration psychique et physique profonde peuvent être atteints en peu de temps, surtout si les deux partenaires sont très amoureux l'un de l'autre. Signalons que cette position est praticable — et efficace — même sans pénétration, même sans contact génital...

Upavishta, variante

Les positions précédentes ne présupposent aucune préparation physique particulière. Toutefois, la présente variante d'*Upavishta* en élévation requiert une bonne mobilité des genoux et des hanches, du moins chez le shiva. Assis sur le tapis, il place d'abord les plantes des pieds à plat l'une contre l'autre, puis il rapproche les talons du périnée, sans le toucher : les pieds ainsi réunis forment un minisiège pour la shakti. Si le shiva manque de souplesse aux hanches, ses genoux seront trop loin du sol et ledit siège serait inconfortable pour tous deux ; dans ce cas, il est préférable d'y renoncer.

L'intérêt tantrique de cette variante diffère peu de *Sukhâsana* simple. Le choix de l'une plutôt que de l'autre est une simple question de convenance et de confort réciproques. Une « variante de la variante » s'appelle *Padmâsana*, le Lotus. Le shiva, qui doit être très à l'aise dans cette pose, s'assied sur le tapis en Lotus peu serré, créant ainsi un mini-siège pour la shakti qui s'assied dans son giron en absorbant le lingam.

Uttana-Bandha

Alors qu'au début la pose du « missionnaire » habituelle est déconseillée, sa variante, *Uttana-Bandha*, est recommandée. En effet, le shiva étant accroupi et non allongé sur la shakti, il l'immobilise. N'ayant ainsi pas de mouvements inattendus à redouter, il se contrôle facilement.

Tiryakâsana

Tiryak signifie « de côté », « de travers ». Il s'agit d'une position asymétrique, peu usitée en Inde, mais très utile en Occident et nous verrons pourquoi. Décrivons-la d'abord.

Au départ, la shakti est couchée sur le dos, comme pour le « missionnaire », sauf que sa jambe droite est repliée et la gauche allongée sur le lit. Le shiva est couché sur son flanc gauche et est placé à la droite de la shakti à laquelle il est donc plus ou moins perpendiculaire. Puis il s'insère *sous* la jambe droite (pliée) de la shakti dont il enserre la cuisse gauche entre les deux siennes. La jambe droite de la shakti repose alors sur le flanc droit du yogi. Quand le lingam est dans le yoni, le pubis mâle est perpendiculaire à celui de la shakti.

Cette pose peut sembler compliquée : en fait, il est plus facile de la prendre que de la décrire ! Et l'illustration achèvera de clarifier tout ceci.

Il en existe une variante simplifiée que voici : la shakti est toujours couchée sur le dos, comme pour le « missionnaire », mais avec les pieds à plat, donc les genoux pliés. Le shiva, lui, s'allonge à la droite de la shakti et, couché sur le flanc gauche, il se place perpendiculairement à la shakti. Il se glisse alors sous le « pont » formé par les jambes repliées de la shakti, amène le lingam en face du yoni et l'y insère. C'est tout ! Maintenant, les deux jambes de la shakti reposent sur le shiva, la droite vers son flanc, la gauche sur sa cuisse, alors que dans l'âsana classique la jambe gauche de la shakti est allongée et prisonnière des cuisses du shiva. Dans la pose classique, décrite plus haut, les jambes des partenaires sont imbriquées, mais non dans la présente variante plus simple dont le seul inconvénient est que le contact génital est moins intime.

Quelles sont les vertus de cette âsana pour l'Occident ? Dans nos régions, sauf en été, la température ambiante est souvent trop fraîche pour pouvoir pratiquer nus sans être couverts. Or, sans être prohibés par la tradition tantrique, les vêtements gênent cependant. De plus, en Occident, le tantra se pratique souvent dans ou sur un lit, généralement trop mou pour les âsanas précédentes. Par contre, au lit, la position latérale est idéale et les couvertures ne gênent pas, au contraire : dans une chambre fraîche, le confort thermique qu'elles procurent permet la nudité rituelle. Comme les tantriques indiens disposent rarement d'un vrai lit ou d'un matelas épais, sans lequel la position latérale n'est guère confortable pour l'homme, on comprend pourquoi ils l'utilisent si peu.

Autre avantage, la pose latérale crée un contact lingam-yoni très intime qui subsiste même si l'érection faiblit, ce qui peut arriver pendant une union prolongée. Malgré l'asymétrie de la pose, en *Tiryakâsana* la durée n'est pas un problème : son confort est tel qu'on peut s'y abandonner au point de pouvoir s'assoupir, ce qui n'est pas un inconvénient majeur. En effet, bien que le « moi-je » conscient soit absent, les deux corps, eux, savent fort bien ce qui se passe : la fusion et les échanges magnétiques continuent même dans le sommeil. Bien des couples tantriques occidentaux l'adoptent souvent le soir pour s'endormir et passent une partie de la nuit ainsi, même avec un simple contact sexuel extérieur, donc sans pénétration.

Cette pose, assez peu érotique, convient pour la Voie de la Vallée comme pour la Voie Abrupte. Les mouvements possibles étant assez limités, il est plus facile de se contrôler, d'autant que le lingam est moins stimulé là où il est le plus sensible, au gland, donc les risques de dérapage sont plus réduits. Enfin, les mains sont libres et disponibles pour les caresses, ce qui augmente la tension sexuelle de la shakti, sans trop de risques de perte de contrôle pour le shiva !

Enfin, il suffit que la shakti bascule sur son flanc gauche pour qu'elle se retrouve dans le giron du shiva : voir la pose suivante.

Parshva piditaka, la position rétrolatérale

Cette posture, dérivée de *Tiryakâsana*, se recommande pour la Voie de la Vallée ou pour le *tantra nîdra*, le sommeil tantrique où le couple dort uni. *Tiryakâsana*, décrite ci-dessus, convient pour un bref somme, mais non pour toute une nuit car, après un certain temps, on s'ankylose, surtout la shakti.

Dans ce cas, *Parshva Piditaka*, la pose rétrolatérale, convient mieux car elle peut être tenue indéfiniment, sans problème !

Elle est rétrolatérale du fait que la shakti est couchée sur le côté, en chien de fusil, dans le giron du shiva, lui aussi sur le côté et il s'unit à elle par derrière. Bien qu'elle n'offre qu'un contact corporel réduit — le thorax du shiva ne touche pas le dos de la shakti —, elle est cependant très voluptueuse du fait que les fesses de la shakti sont collées au ventre du shiva.

Partant de *Tiryakâsana*, on passe à la position rétrolatérale sans devoir retirer le lingam : la shakti dégage sa jambe repliée, bascule sur le flanc et se retrouve ainsi nichée dans le giron du shiva. Le but n'est pas de s'endormir

Dans le bouddhisme tantrique tibétain, l'union est presque invariablement représentée dans cette position, c'est-à-dire à califourchon et le dieu mâle a toujours une expression terrible, tandis que la bhaïravî est minuscule comparée à lui.

ainsi, mais si cela se produit, il n'y a pas de problème, au contraire. Bien sûr, le plus souvent sans même se réveiller, ils se sépareront spontanément pendant leur sommeil. L'avantage de cette posture est qu'éveillés ou non, le contact peut se prolonger pendant des heures car, même flaccide, le lingam reste prisonnier du yoni.

Bien des couples tantriques l'adoptent aussi pour la « Voie Abrupte ». Alors, bien qu'il soit possible à la shakti de bouger, elle reste le plus souvent passive. En gardant une immobilité totale et en laissant le shiva agir à sa guise, elle lui abandonne ainsi le contrôle de l'expérience, ce qui lui permet de rester indéfiniment au point-limite absolu, sans craindre qu'un mouvement intempestif de la shakti ne déclenche irrésistiblement le spasme.

Dans les autres positions, quand le shiva frôle ou atteint le point-limite, il s'immobilise et attend que l'alerte soit passée avant de reprendre les mouvements. Dans la position rétrolatérale, par contre, assuré de l'immobilité de la shakti, il peut *apprendre à bouger même au point-limite,* ce qui est très important. Autrement dit, tout en restant sur le « fil du rasoir », il fera de légers mouvements en restant très concentré, et il constatera que, même au point de non retour, il n'est pas *ipso facto* condamné de ce fait à l'immobilité absolue. Cette position est si simple qu'elle se passe d'illustration.

Janujugmâsana, la pose en X

Janujugmâsana, la pose en X ou « en opposition », est une âsana de maïthuna spécifique au tantra. Il est émouvant de savoir qu'elle était déjà pratiquée dans l'Inde préhistorique, au chalcolithique. En effet, lors de fouilles à Daimabad, dans l'actuel Maharastra, une poterie ornée d'un dessin représentant un couple uni dans cette âsana a été exhumée. Apparemment, ni l'érotisme, ni la décoration pure ne semblent avoir été la motivation majeure de l'artiste et tout fait supposer une intention cultuelle proche du tantrisme.

Malgré la stylisation poussée, le dessin est explicite. Il est intéressant — et révélateur — de noter, d'une part, que les représentations coïtales préhistoriques sont rares, d'autre part, qu'il s'agit d'une pose insolite, au point qu'elle est absente parmi les sculptures érotiques des temples hindous de Khajuraho à Konarak, pourtant si prolixes dans ce domaine ! Absente aussi des miniatures érotiques indiennes, tout comme du *Kama Sutra* et autres *Kokka Shastra* qui ne manquent cependant pas d'imagination ! Pourquoi cette absence ? Est-ce parce qu'elle est peu « excitante » ? J'ignore. En Occident aussi elle est insolite, voire inconnue.

Par contre, elle réapparaît dans une autre zone tantrique, le Népal, sur une peinture du XVIIIe siècle, reproduite dans le *Tantra Asana* d'Ajit Mookerjee, p.112. Le tantra l'apprécie surtout parce qu'elle permet un contact prolongé, en relaxation totale, ce qui favorise les longs échanges prâniques, magnétiques, au niveau des sexes. Si l'amour profane la néglige, c'est sans doute à cause de la faible pénétration du lingam, au point qu'une érection puissante serait même gênante. Pour la Voie de la Vallée, c'est plutôt un avantage car le contact intime subsiste malgré une faible érection, voire même sans érection du tout.

Les mouvements coïtaux sont limités, certes, mais possibles.

Apparemment peu érotique, elle permet pourtant de vivre pleinement l'expérience tantrique et n'empêche ni la jouissance, ni l'orgasme, notamment celui de la shakti.

La prise de la position est ultra-simple. Souvent le contact est d'abord établi et vécu pendant un temps plus ou moins long dans la pose à califourchon, *Sukhâsana*. Partant d'elle, il suffit de basculer en arrière et d'allonger les jambes pour se retrouver tous deux sur le dos, dans la position en X.

Variante : au lieu de se coucher à plat dos, ce qui met les corps littéralement en opposition, à l'aide de coussins on règle l'inclinaison du tronc, par exemple à 45°. Ainsi, tous les avantages de l'âsana sont conservés, mais le contact est plus intime, plus profond, et une érection bien formée ne gêne pas.

Cette pose de maïthuna montre combien le tantrisme plonge de profondes racines dans la préhistoire indienne et il est émouvant, en la pratiquant aujourd'hui, d'évoquer ces couples d'un autre âge.

Le caractère rituel, initiatique, de cette posture se révèle dans une autre tradition, proche de l'Occident. Témoin, le mandala ésotérique reproduit ci-après, sans tenir compte du carré magique « ROTAS », lisible dans tous les sens. Soit dit en passant, ce carré, aux fondements kabbalistiques, se retrouve sur une médaille trouvée à Pompéi, sur une église italienne, sur une Bible latine de l'an 822, sur un manuscrit grec et sur le mur d'un château charentais, tous deux du XIIe siècle.

Quatre siècles plus tard, il réapparaît sur une monnaie autrichienne ! Curieux !

Si nous décodons le mandala d'après le symbolisme tantrique, on découvre d'abord la Shakti nue, sur son triangle inversé, symbole universel du yoni. Elle règne sur les puissances de la nuit, sur l'inconscient, d'où sa peau noire et le croissant de lune, l'astre de la femme. Shiva, se trouve sur le triangle pointe en haut, comme dans le tantra. Le blanc, couleur mâle, symbolise les puissances de l'intellect, de l'action dans le monde concret qui se manifestent le jour, à la lumière solaire. Les deux triangles imbriqués figurent l'union des principes mâle et femelle. Cachés sous le carré magique qui fait office de feuille de vigne, Shiva et Shakti sont bel et bien unis dans la pose en X ! Le « N » central du carré, son centre de gravité en somme, recouvre leurs sexes en contact, sinon unis. Où sont et que font les mains ? La seule différence avec la pose en X, réside dans le fait que dans l'âsana tantrique, les jambes de la shakti sont posées sur celles du shiva.

L'ensemble du mandala reproduit l'acte créateur originel autant que les forces créatrices qui agissent dans l'univers manifesté. Outre les deux

Représentation de la pose en X décorant un vase préhistorique découvert à Daimabad.

grands triangles, on compte six petits, un hexagone, deux cercles et, enfin, à chacun des points cardinaux une figure mythique, symbolique. Au Sud, agissant à la pointe du triangle « Shakti », nous trouvons le Taureau (Nandi, la monture de Shiva !) symbole de la force sexuelle, pourtant ni débridée, ni sauvage, qui contribue à entretenir le mouvement du cercle. L'aigle, c'est Garuda ! Quant au Lion ailé, cher à l'ésotérisme du Moyen Orient, il n'est pas inconnu du tantra, sauf qu'il n'y est pas ailé. Le dernier personnage est l'Ange, ou plutôt l'homme ailé, qui symbolise sa dimension spirituelle.

N'est-il pas étonnant de découvrir l'essence de la tradition tantrique dans ce mandala ? Bien sûr, le symbolisme de l'ensemble est loin d'être épuisé par ces quelques considérations ! A chacun de l'explorer plus avant . . .

Les rituels de Maïthuna

La yonipûjâ est l'adoration « par excellence ».
L'ignorer ôterait toute valeur aux autres formes du culte.
(YONITANTRA, I, 5b ; VI, 24cd et VIII. 13)

Cette citation situe l'importance de la *yonipûjâ*, l'adoration du yoni, dans le culte de la Shakti, la puissance créatrice incarnée dans le sexe de la femme.

Parmi les rares textes publiés qui décrivent et authentifient ce rituel, je ne connais guère que le *Yonitantra* (à ne pas confondre avec le *Yoginîtantra*) et le *Brihadyonitantra*, plus complet mais dont aucune copie intégrale n'est connue. C'est donc sur le *Yonitantra* que s'appuie ma description de ce rite essentiel, accessible aux Occidentaux avec des adaptations mineures. Toutefois, comme pour tant de textes tantriques, il s'agit plus d'un résumé que d'un traité didactique : c'est l'acharya, l'instructeur, en personne, qui transmet les techniques. De plus, l'acharya (qui peut aussi bien être une femme) joue un rôle crucial pendant la *yonipûjâ*, qui doit se dérouler en sa présence, au point que des règles particulières sont prévues pour le cas où il serait absent.

Comme, sauf exception, l'Occidental n'a pas accès à l'initiation directe, il est indispensable de compléter les parcimonieuses données pratiques du texte original. Après que l'auteur — inconnu — ait précisé quelles femmes sont aptes au rite, il ajoute que la yoginî « doit être lascive, libertine même *(pramadâ)*, aimée *(kântâ)*, et au-delà de toute (fausse) pudeur. » Souvent, c'est la shakti du guru qui officie, sinon ce sera la compagne de l'adepte.

Au début de l'adoration, la shakti se place au centre du *mandala*, en général un triangle, symbole du yoni cosmique, inclus dans un cercle. Puis, le *sâdhaka* lui présentera une boisson aphrodisiaque, nommée *vijayâ*, dont la composition n'est pas indiquée, sans doute parce qu'à cette époque chacun était censé la connaître en Inde. J.A. Schoterman, qui a traduit le texte, croit qu'il s'agit du *bhâng*, mixture à base de chanvre indien, néanmoins il est stipulé qu'en aucun cas la shakti ne sera droguée. En Occident, on la remplacera par une coupe de champagne ou une boisson légèrement alcoolisée, du gin dilué dans une eau gazeuse, par exemple.

L'intention avouée est d'érotiser la shakti à l'extrême, d'exacerber son énergie sexuelle pour l'amener à l'extase. Si le champagne, ou quelque autre boisson alcoolisée, produit cet effet sur la shakti occidentale, le but sera atteint.

Toujours selon le texte, après avoir accompli le rituel préparatoire, composé de mantras et de *bîjas* (voyelles sans contenu conceptuel), que l'auteur ne précise pas, la première partie de la *Yonipûjâ* débute. La yoginî s'assied sur la cuisse gauche de l'adepte, qui commence par adorer son yoni *shakuntalâ,* c'est-à-dire non rasé, condition facile à remplir ! L'adepte oint alors le yoni avec une pâte de santal, au délicat parfum ; ainsi le yoni ressemble à « une fleur ravissante ». Puis l'adorateur lui offre une nouvelle coupe de *vijayâ* et lui peint *l'ardhachandra* (demi-lune), en vermillon, au milieu du front. Pas question d'une routine mécanisée : le symbolisme de chaque geste est intensément vécu par les partenaires. Pendant que l'adepte trace la demi-lune, le couple prend conscience des forces lunaires présentes dans la shakti.

Puis, le shiva pose les mains sur les seins de la shakti, et tout en s'imprégnant de l'aspect maternel de la Shakti cosmique, prononce cent huit fois la *bhagabîja* (le son-racine de la vulve), sans autre précision, mais en général ce sera *Hrîm.* Enfin, l'adorateur fait tous les gestes et attouchements pouvant exciter la shakti au maximum : il lui caresse longuement les seins, les cuisses, puis le yoni.

Les détracteurs du tantra hausseront les épaules en disant qu'il s'agit là d'une banale séance de pelotage et que ces simagrées sont ridicules. C'est comme s'ils commettaient l'erreur de confondre douche et baptême parce que, dans les deux cas, on se mouille !

Dans la *yonipûjâ,* l'excitation de la shakti, qui se propage au shiva, provoque une abondante sécrétion du fluide *tattva uttama,* l'« essence sublime », c'est-à-dire les sécrétions vaginales, ensuite — et surtout — éveille les énergies subtiles, prâniques, qui jouent un rôle primordial dans la suite de la pûjâ.

La partie centrale de la pûjâ se situe ici. A son tour, la shakti oint le lingam avec de la pâte de santal, au parfum aphrodisiaque, colorée au safran. Le gourou, toujours présent, veille au respect strict du rituel et récite les mantras appropriés. C'est alors seulement que le lingam est inséré dans le yoni. Le maïthuna ne doit pas devenir un simple coït profane mais rester contrôlé malgré l'intense excitation mutuelle et être vécu avec le sens du sacré inhérent à toute union tantrique. Les modalités du maïthuna tantrique (cf. ce chapitre), sont de rigueur, notamment celles relatives à l'âsana et au contrôle de l'éjaculation.

Dans ce rite, une part essentielle revient à l'absorption réciproque de l'« essence sublime ». En ajoutant ses propres sécrétions lubrifiantes aux liquides vaginaux, le lingam contribue à mouiller abondamment le yoni. Les deux fluides s'y mêlent, et les tantriques croient que la yoginî et le yogi les absorbent : la shakti par osmose à travers la muqueuse vaginale, le shiva grâce à vajroli (cf. ce chapitre). Selon le tantra, cet échange vitalise et dynamise les deux adeptes. Même sans cette réabsorption mutuelle, il est établi que l'excitation sexuelle intense et prolongée des gonades intensifie la sécrétion des hormones sexuelles, qui pourraient, elles aussi, constituer la « sublime essence » : pourquoi pas ?

Pendant le maïthuna, le couple médite sur la puissance créatrice ainsi éveillée dans le ventre de la femme tout comme dans l'homme, et adorent l'Energie Cosmique.

La durée de l'union yoni-lingam correspond à ce qui en est dit ailleurs dans ce livre : ce n'est jamais du « vite-fait-bien-fait » ! Après l'union rituelle, le shiva rend un hommage respectueux au yoni, que la yoginî, couchée sur le dos, les jambes écartées, offre à sa vue et à son adoration. Le disciple prélève alors du doigt un peu de liquide vaginal et en fait un *tilaka,* ce point que les femmes indiennes ont au milieu du front, à sa partenaire du rite, encore plongée dans l'extase, ainsi que sur son propre front. L'acharya fait pareil, puis le couple lui fait révérence et adoration car, par sa présence, il les a aidés à se contrôler pendant tout le rituel et à en préserver le caractère sacré. Cette pratique en présence du guru crée dans le trio un lien d'intimité confiante remarquable.

Le *Yonitantra* prescrit que la yonipûjâ doit être exécutée chaque jour (11,6ab ; IV,30a). Elle constitue, dans sa forme indienne, une préparation directe à la *chakrapûjâ.*

J'en conviens, le fait que l'acharya et sa shakti pratiquent des rites sexuels avec leurs adeptes peut, selon *nos* critères, paraître inacceptable, mais fallait-il le cacher ?

Quant aux adeptes occidentaux, s'il n'est guère pensable de transposer *telle quelle* la *yonipûjâ,* les indications données permettront néanmoins aux couples tantriques d'en pratiquer une forme atténuée ou adaptée, tout en en conservant l'esprit, ce qui est essentiel.

Le triangle rituel

Dans l'union rituelle tantrique, ce n'est pas Mr X. qui rencontre Madame Y., mais Shiva qui rencontre Shakti. Pour cela, le partenaire doit se désidentifier de son petit moi-je anecdotique pour percevoir en lui-même l'homme absolu, Shiva, et dans sa partenaire la femme absolue, la Shakti. Ce changement de mode de perception se prépare.

C'est ainsi qu'avant le maïthuna, l'adepte trace à l'endroit où l'union va avoir lieu, un triangle rouge avec, en son centre, le point-semence, le *bindu.* Puis, il médite sur le symbolisme du triangle inversé et du *bindu.* Ensuite, tout en répétant son mantra, il projette mentalement l'image de la Shakti sur le triangle jusqu'à sentir que la femme concrète, partenaire du rite, incarne *vraiment* la Shakti, l'énergie cosmique féminine.

Après quoi, il visualise son yoni et s'absorbe dans sa signification cosmique en tant que porte d'entrée de toute vie. Il perçoit ainsi le dynamisme créateur présent dans le sexe de la Shakti, dans son pôle « espèce ». Il ressent son irrésistible attrait sexuel capable d'éveiller le lingam, de l'absorber, de s'emparer du sperme fécondant. Puis il visualise le triangle blanc de Shiva, la pointe en haut, et le superpose en imagination au triangle féminin rouge.

Le *bindu*, point central du triangle Shakti superposé au triangle mâle, symbolise la fusion intime des principes cosmiques Shakti-Shiva. L'adepte perçoit ainsi l'insondable mystère et le sens profond, sacré, de l'union des sexes, tout en répétant mentalement le mantra que lui a donné son gourou. A défaut, l'Occidental utilisera le *Om* ou le *Om Mani Padme Hûm*.

C'est seulement quand il a parfaitement superposé dans son mental ces deux aspects de la partenaire — l'individuel et le cosmique —, qu'elle le rejoint et qu'ils s'unissent, après avoir accompli d'autres actes rituels sur ce triangle qui leur rappellera sans cesse leur dimension absolue, qui transcende leur aspect individuel, anecdotique.

L'ascèse à seize

« Pourquoi tant parler ? O Kalika, il est certain qu'aucune voie sauf celle du Kula ne peut assurer le bonheur en ce monde et dans les autres. Un adepte du Kula mérite l'enfer s'il garde cachée cette voie dans l'ère de Kâli où toutes les religions sont délaissées. »

MAHANIRVANA TANTRA (VII, 202)

L'ascèse à seize, la *chakra pûjâ*, l'adoration en cercle, est, avec les cinq makaras, le rite essentiel du tantra, le moins bien compris et sans doute le moins « exportable », le moins praticable en Occident. D'une densité symbolique extraordinaire et pourtant très concret, il rassemble en un raccourci saisissant l'essentiel du culte et de la pensée tantriques. Ignorer la chakra pûjâ et les cinq makaras équivaut à ne pas saisir le tantra.

De quoi s'agit-il ? En deux mots, voici le fait « brutal », c'est-à-dire la pratique concrète dans toute son « horreur ». En un lieu secret, huit hommes et huit femmes se réunissent. A l'entrée, les adorateurs prennent au hasard un vêtement ou un bijou dans une boîte : sa propriétaire sera sa partenaire pour le rite. Puis, rituellement disposés en cercle, ensemble ils boiront du vin *(madya)*, mangeront de la viande *(mâmsa)*, du poisson *(matsya)* et des céréales *(mudrâ)*. Jusqu'ici rien à redire. Puis, chacun s'accouplera *(maïthuna)* avec sa partenaire d'une nuit. Une partouze, quoi. Du moins à nos yeux. Cela nous donne les 5 makaras (lettre sanskrite M), les 5-M, l'initiale de chaque élément étant la lettre « m ».

C'est surtout le maïthuna qui crée le plus de malentendus. Les petits polissons ont le sourire et pensent qu'on ne s'y embête pas. Les gens convenables font la moue et n'y voient que de la dépravation pure et simple. Comme vous vous en doutez, les deux sont à côté de la question. Il s'agit bel et bien d'actes réels, mais mon but sera de vous faire découvrir leur symbolisme profond.

Voyons d'abord les faits concrets, à partir de témoignages et commençons par celui d'un personnage pour le moins hors du commun, un dénommé Edward Sellon, Anglais, né en 1818. Durant sa brève existence — moins d'un demi-siècle — cet aventurier fut tour à tour soldat, cocher de diligence, maître d'armes et... auteur pornographique ! Son père, « gentilhomme de peu de fortune », mourut alors qu'Edward était encore enfant. A peine âgé de seize ans, on le trouve déjà en Inde, en plein pays dravidien, à Madras, en tant qu'enseigne au 4e régiment de la *Madras Native Infantry.* Pendant ses dix ans de séjour en Inde il a eu d'innombrables aventures, aux deux sens du terme ! Il s'intéressa de près à la vie sociale indienne, à sa religion et à sa vie sexuelle (ici, le « de près » s'entend au sens littéral !).

Dans son autobiographie *The Ups and Downs of Life,* il relate ses aventures galantes qui donnent une vision de première main, si l'on peut dire, de la vie indienne de l'époque : « J'ai commencé, dès cette époque, un cours de baisage *(sic)* intensif et régulier avec les femmes indigènes. Le prix usuel est de deux roupies. Pour cinq, vous pouvez avoir les plus séduisantes jeunes femmes musulmanes ou n'importe quelle courtisane de haut vol. Les femmes à cinq roupies sont d'une classe totalement différente de leurs pâles consœurs européennes ; elles ne boivent pas, sont d'une scrupuleuse propreté, habillées de vêtements somptueux, parées d'une profusion de bijoux de prix, bien éduquées, elles chantent merveilleusement en s'accompagnant à la viole de gambe (une sorte de guitare) ; elles ornent leur chevelure de bouquets de clématites ou de fleurs de bilwa au parfum délicat, mêlées à des diamants ou des perles. Elles connaissent à la perfection tous les arts et toutes les séductions de l'art d'aimer, sont capables de satisfaire tous les goûts, et tant par la race que par la silhouette, elles ne sont surpassées par aucune femme ailleurs dans le monde... Il est impossible de décrire les jouissances que j'ai goûtées dans les bras de ces sirènes. Depuis, j'ai connu des Anglaises, des Françaises, des Allemandes, des Polonaises, des femmes de toutes les couches sociales, mais jamais elles n'ont pu soutenir la comparaison avec ces succulentes et salaces "houris" de l'Orient. »

Jusqu'ici, pas grand-chose à voir avec nos 5-M ou l'ascèse à seize. Dans les lignes suivantes *(Memoirs of the Anthropologican Society of London,* 1866, vol. II,p.274), il révèle des détails du rituel tantrique valables pour la chakra pûjâ, bien qu'ici il ne parle que d'un seul couple : « La grande fête, appelée Shiva Ratri, est la période de l'année pendant laquelle les Hindous célèbrent le culte de Vénus. Celui qui désire effectuer le rite, choisit une fille qui doit être jeune et belle, quelle que soit sa caste : paria, esclave, courtisane, mais une danseuse est préférable. Elle est appelée *duti,* l'ange messager, la conciliatrice, parce qu'elle sert d'intermédiaire pendant ses rapports avec la déesse (Shakti). Elle est appelée yoginî, c'est-à-dire "celle qui a relié". Après un jeûne, elle prend un bain, puis, vêtue avec élégance, elle s'assied sur un tapis. Les cinq actes (le vin, la viande, le poisson, la magie et la luxure) sont ensuite pratiqués dans l'ordre, après que l'adorateur ait tracé un diagramme et répété des incantations. L'adepte médite ensuite sur elle en tant que Prakriti (la Nature) et sur lui-même, en s'identifiant au dieu. Puis, il offre des prières et procède à l'inspiration de chaque membre avec l'image d'une déesse ou d'une foule de divinités. Il adore, en imagination, individuellement, chaque partie de sa personne, et, par ses incantations, loge une fée dans chaque partie de son corps et de ses membres, y compris dans son yoni, centre des délices. Il lui offre alors la viande, le poisson et le vin. Il la fait manger et boire ; il mange alors et boit ce qu'elle a laissé. Puis, il la dévêt et ôte ses propres vêtements. Il recommence à adorer chaque partie de son corps. Finalement, il adore l'Agni Mandalam (*pudendum muliebre*), c'est-à-dire son yoni, avec un langage révérenciel mais avec des gestes impudiques, puis il s'unit à elle ».

Avant de commenter ce texte, je signale que *agni mandalam* signifie littéralement le « cercle de feu », ce qui est suffisamment éloquent...

La chakra pûjâ est toujours célébrée en Inde, ainsi que le reconnaît une Indienne, Devangana Desai, dans *Erotic Sculpture of India :* « De nos jours encore, dans le Rajasthan, le culte qui pratique les rites secrets de la chakra pûjâ s'appelle *lâja-dharma ;* dans l'Himalaya, il se nomme *cholîmârg* » J'ajoute que quiconque irait en Inde dans l'espoir d'y participer, aurait environ autant de chances que de rencontrer un ours dans les Pyrénées ! Il est très malaisé d'obtenir des renseignements précis à ce sujet, vu l'ostracisme hindou à l'égard du tantra. De plus, seuls des initiés triés sur le volet y sont invités et le rite est long, complexe, accessible seulement après une longue préparation.

En dépit des apparences, la chakra pûjâ présuppose de rares qualités morales, dans sa forme ultime autant que dans les rites atténués.

Dans la pratique, la pûjâ gravite autour du gourou, qui peut tout aussi bien être une femme (appelée alors *bhairavi)* ou autour du couple gourou-shakti, dont le rôle déborde bien au-delà du cercle magique lui-même, notamment dans la sélection et la formation tantrique des participants, huit hommes et huit femmes, mariés ou non. Ils sont connus de longue date, éprouvés et « compatibles » entre eux.

Quand vient la nuit propice, les adeptes se retrouvent au rendez-vous secret : une caverne dans la montagne, un temple abandonné, une clairière isolée ou, plus simplement, dans l'habitation d'un adepte. Autrefois, elle se célébrait aussi sur les lieux de crémation, d'abord parce que le sexe est l'antidote de la mort, ensuite pour garantir qu'aucun hindou de caste ne viendrait les y déranger, vu leur horreur de ces endroits !

Comment les choses se passent-elles ? Le voile du secret est bien opaque et il faut beaucoup de patience et parfois de ruse, pour grappiller, par-ci par-là, l'une ou l'autre pièce du puzzle. Les années aidant, en assemblant ces pièces, on finit par avoir un tableau assez complet.

L'existence même de la chakra pûjâ est parfois niée, comme le confirme Francis King : « Des deux côtés de la barrière bouddhiste-hindouiste, on proclame que les membres de leur foi ne se livrent jamais à des pratiques sexuelles impliquant une copulation physique effective. Certains pandits hindous, par exemple, affirment que tous les tantras traitant d'union sexuelle physique doivent être interprétés symboliquement et que tous ceux qui pensent autrement sont des salaces lubriques. Il est regrettable que ces non-sens aient reçu l'aval d'érudits occidentaux qui devraient être mieux informés. Parmi eux, Evans-Wentz affiche une attitude puritaine extrême vis-à-vis du tantra — sans doute en souvenir de ses débuts à la Société Théosophique —, au point de se départir de l'impartialité qui doit prévaloir chez tout érudit, quand il "dénonce ces hypocrites qui suivent la voie de la main gauche, au Bengale et ailleurs". Quand le lama Anagarika Govinda proclame que la sexualité physique ne joue aucun rôle dans le tantrisme tibétain, pris à la lettre, c'est un mensonge. »

Avant de livrer à vos réflexions les témoignages sérieux et concordants que j'ai pu recueillir, une remarque. Il n'existe, dans l'abondante littérature tantrique, que très peu de livres de référence indiscutables et indiscutés. Parmi ceux-ci, le *Hevajra Tantra,* traduit par D.L. Snellgrove, qui se situe dans le courant tantrique bouddhiste et, dans le tantra indien, le *Mahanirvana Tantra* (respectivement désignés par HEV. ou MAH. dans mes citations) traduit par Manmatha Nath Dutt, ainsi que le *Sâradâ-Tilaka Tantra,* publié mais non encore traduit. J'appuie ainsi mes propres affirmations sur celles d'autres auteurs, ce qui les rend difficilement contestables.

C'est ainsi qu'Horace Hayman Wilson, (*Works,* London, 1862, Vol. I, p. 263) évoque la chakra pûjâ, pratiquée par les tantriques Kanchulias : « Cette secte se distingue par un rite particulier dont l'objet est de confondre et d'effacer toutes les alliances avec la femme et de renforcer non seulement la communauté des femmes parmi les spectateurs, au mépris des tendances naturelles. Lors des cérémonies du culte, les adoratrices féminines déposent un vêtement dans une boîte confiée au gourou. A la fin du rituel, les adorateurs mâles prennent chacun un vêtement dans la boîte, et la femme à qui le vêtement appartient, quelle qu'elle soit, devient sa partenaire pour son plaisir licencieux ».

Monnier-Williams, (*Religious Thought and Life in India,* 1883, p.192), confirme que, malgré les interdits du gouvernement britannique, la chakra pûjâ continuait à être pratiquée : « Il est notoire que, même de nos jours, à certaines occasions particulières, les adhérents de la secte Shakta, accomplissent le cérémonial dans sa totalité révoltante. Quand cette occasion se présente, un cercle est formé, composé d'hommes et de femmes, assis côte à côte, sans aucune considération de caste. Les adeptes masculins et féminines se considèrent à ce moment respectivement comme des formes de Shiva et de son épouse Shakti, en conformité avec la doctrine proclamée par un des tantras, dans lequel Shiva, s'adressant à son épouse, lui dit : "Tous les hommes ont ma forme et toutes les femmes ta forme ; quiconque reconnaît une distinction de caste dans le Cercle Magique (chakra) a une âme folle". »

Edward Sellon, cité supra en tant que précurseur du tantra en Occident, fut aussi le premier à en évoquer les rituels secrets, notamment les fameux cinq « M » :

« Bien que n'importe quelle déesse puisse être l'objet du culte Shakta, le terme « Shakti » les désigne toutes. Au Bengale cependant, les Shaktas limitent presque exclusivement leur culte à l'épouse de Shiva.

» Suivant l'intention particulière pour laquelle le culte est accompli, il existe un rituel approprié, mais toutes les formes de rituel englobent certains ou tous les cinq makaras : *mamsa* (la viande), *matsya* (le poisson), *madya* (le vin), *maïthuna* (l'acte sexuel rituel) et *mudra*, c'est-à-dire certains gestes des mains. Les « muntrus » (sic !), ou incantations, tout aussi indispensables, varient selon le but à atteindre ; elles consistent en monosyllabes sans signification ou en combinaisons de lettres, auxquelles une grande efficacité est attribuée.

» [...] Les principales cérémonies comprennent toutes l'adoration de la Shakti, ou Puissance, et requièrent à cet effet, la présence d'une belle jeune femme, qui représente la déesse. Ce culte est célébré en société mixte ; les hommes représentent les Bhairavas, ou Viras, et les femmes les Bhairavis ou Nayakas. La Shakti, représentée par la jeune femme nue, reçoit l'offrande du vin et de la viande, qu'elle partage ensuite parmi les assistants, distribution suivie de l'incantation par les « muntrus » (resic) et les textes sacrés, accompagnés de mudras. Le tout se clôture par une orgie de description très licencieuse à laquelle participent tous les adeptes. Cette cérémonie s'appelle Sri Chakra, ou Purnabisheka, l'anneau de l'Initiation complète.

» Cette forme d'adoration de la Shakti est incontestablement reconnue par les textes considérés comme faisant autorité par les Vanis. Les membres de la secte doivent jurer de garder le secret et ne reconnaîtront jamais avoir participé à une Shakta-Pûjâ. Voici quelques années cependant, certains se sont départis de leur réserve, et de nos jours (toujours d'après Sellon) ne se gênent pas pour parler de leur initiation et de ses mystères, sans cependant divulguer en quoi ils consistent. »

Faux initiés

Je lis dans le *Kulârnava Tantra* : « Nombreux sont ceux qui se prétendent faussement être des initiés, et affirment pratiquer les rites des Kaulas. Si la perfection devait être atteinte en buvant du vin, alors tout ivrogne serait un saint ; si la vertu consistait à manger de la viande, alors tous les animaux carnivores du monde seraient vertueux ; si le bonheur éternel devait être obtenu par l'union des sexes, alors tous les êtres vivants y seraient admis. »

Des ennemis (nombreux et féroces) du tantra, se sont emparés de ce texte et l'ont interprété à leur profit. Pour eux, il condamne l'usage concret du vin, de la viande et de l'union sexuelle dans le rite tantrique, ce qui contredit tout le tantra, y compris le *Kulârnava Tantra*. En réalité, ce texte signifie : « Si la perfection devait être atteinte *rien qu'en* buvant du vin, alors etc. », car tout doit s'accomplir selon les prescriptions et dans l'esprit du tantra !

Bien que le rituel diffère d'une région à l'autre, les points essentiels sont communs : le cercle, le centre du cercle, le hasard qui forme les couples, le maïthuna rituel pratiqué en commun, mais avant tout l'identification de chaque adepte à la Shakti ou au Shiva cosmiques.

Le rite vise à susciter un psychisme collectif, ou overmind, mot anglais plus adéquat que « supramental » (voir ce chapitre) pour dissoudre temporairement l'identification illusoire à l'ego, qui nous barre l'accès aux plans de conscience supérieurs. Tant que je reste enfermé dans mon petit « moi-je », il m'est impossible de transcender l'état de conscience ordinaire.

Enfin, le rite fait vivre concrètement la force sexuelle en tant que puissance créatrice universelle, élan vital ultime d'où surgit l'univers manifesté.

Dans le cercle magique, les couples existants sont dissous pour la durée de la pûjâ et nous savons que c'est le hasard qui forme ces couples d'une nuit.

Avant que ne débute la cérémonie, les couples, ainsi nés du hasard, sont mariés : « Le mariage Shaiva, ordonné suivant le rite Kula, est de deux types. L'un dure le temps de la chakra pûjâ, l'autre est pour la vie.

» [...] L'adepte demande aux autres participants d'autoriser ce mariage-Shambu (Shambu = l'autre nom de Shiva).

» Alors, ô Shiva, devant les adeptes réunis, il dit à la shakti : "D'un cœur pur, me choisis-tu pour époux ?" (pour la durée du rite). Elle acquiesce en lui présentant des fleurs et du riz non décortiqué et, suivant le rite Kula, pose ses mains dans les siennes. Ensuite, prononçant le mantra secret, le couple est aspergé d'eau parfumée par l'acharya (gourou) qui dirige la pûjâ, puis les tantriques réunis les bénissent. » (*Mah.*VIII.268.278)

Ce rituel se répète pour tous les couples participant à la chakra pûjâ. Une profonde sagesse se cache sous ces « mariages ». En effet, la plupart des adorateurs arrivent en couple, mariés ou non, or, dans la pûjâ, chacun aura un(e) partenaire différent(e) avec qui il vivra un rapport physique intense. Certes, le fait même de se présenter à la pûjâ indique que c'est accepté d'avance, mais ce « mariage » temporaire doit être entériné par l'acharya et par tous les participants, qui confirment aussi que la relation créée pendant le rite ne doit pas déboucher sur un flirt ou une liaison : pendant la pûjâ, oui, après, non.

Mais, au fait, pourquoi laisser le hasard plutôt que le gourou, par exemple, former les couples de la chakra pûjâ ? Le but est de remettre en question et de dépasser la relation « homme-femme » ordinaire, celle qui est considérée comme étant la plus individuelle qui soit, pour dépasser aussi toute possessivité et vivre la sexualité comme une force transpersonnelle, voire impersonnelle. Guenther, dans *Tantric View of Life* (p.58.) écrit : « Il est certainement correct de parler d'une relation concrète entre l'homme et la femme, mais cette relation ne doit pas être perçue comme un agencement strictement personnalisé. Ses racines plongent dans des profondeurs inconnues et transcendent les limites de l'ego, de l'individu. [...] Il existe tant de preuves que l'union du féminin au masculin dépasse la simple liaison amoureuse entre deux individus ».

La chakra pûjâ vise à le faire éprouver *concrètement* puisque, dans le même cercle et dans l'instant où elle s'unit à un shiva autre que son mari, celui-ci s'unit à une autre shakti, chacun sachant néanmoins que ce n'est que pour la durée de la pûjâ.

Dans un couple ordinaire, elle et lui croient que leur rencontre est unique, fatale, qu'un tel amour n'est possible qu'entre eux. Sans nier (ni renier !) l'amour vrai et profond, le tantra relativise cette relation qu'il considère comme bien moins individuelle et personnelle que ne le supposent les amants, et dont ils ne sont pas conscients qu'elle les dépasse. Le tantra sait que, dans et à travers la femme individuelle, concrète, l'homme adore la Shakti éternelle dont il porte en lui le portrait-robot idéal. L'aimée en est, ici et maintenant, l'incarnation. Les rôles sont évidemment inversés pour la femme qui, dans son amant, adore en fait Shiva, le mâle cosmique absolu.

Les amoureux ordinaires ignorent le caractère transcendental de leur relation. Le tantra sait aussi que, plus qu'aucun autre facteur, c'est le hasard qui forme les couples, que leur sexualité est une modalité de la libido panhumaine qui englobe, au-delà de l'espèce humaine, tout ce qui vit, tout ce qui est.

Ecoutez cette femme dire à son mari : « Mon amour, tu es l'homme de ma vie et jamais je ne pourrais en aimer un autre... » J'insiste : dans ce serment, elle est sincère à cent pour cent. Alors, où est le hasard ? Il n'est pas bien loin : si elle ne l'avait pas connu ou s'il n'était pas né, elle aurait sans doute fait le même serment sincère, dans d'autres bras ! Et, s'il disparaissait, ne ferait-elle pas comme la jeune veuve de la fable de La Fontaine, d'abord inconsolable mais qui disait à son père, peu de temps après : « Où donc est ce jeune mari que vous m'avez promis? » Cœur volage ? Non pas, pense le tantra, car toujours toute femme, toute shakti, est et ne peut être amoureuse que du seul Shiva cosmique que chaque homme incarne plus ou moins parfaitement. L'intensité même de l'amour dépend de la concordance entre l'homme concret et le Shiva idéal. Et réciproquement, bien sûr.

Voilà pourquoi on laisse, délibérément et symboliquement, le hasard seul former les couples de la pûjâ.

Une question se pose, en Occident, à propos de la chakra pûjâ : « Et l'amour dans tout ça ? ». En effet, chez nous, l'amour est considéré comme un préalable à l'union sexuelle, sans quoi elle est jugée vulgaire, voire bestiale. Or, dans la chakra pûjâ, du fait même que c'est le hasard qui forme les « mariages », ce préalable fait défaut. Les tantriques, eux, inversent la proposition en appliquant l'expression « faire l'amour » à la lettre : le maïthuna tantrique engendre un amour subtil, qui n'a rien à voir avec l'amour-passion romantique, mais une affection née de l'adoration du principe divin incarné dans la/le partenaire. Toujours à propos de hasard, ils évoquent l'amour le plus pur, le plus désintéressé qui soit, l'amour maternel qui, souvent, n'existe pas à la naissance du bébé, surtout le premier : il n'éclôt parfois que plusieurs jours plus tard, quand la mère nourrit l'enfant. Cet amour, le plus « personnel » concevable, dépend aussi du hasard, car si la conception avait eu lieu quatre semaines plus tôt ou plus tard, un autre ovule aurait été fécondé, un autre enfant serait né. Ce « bébé potentiel », à jamais inconnu, maman l'aurait aimé tout aussi « personnellement » que celui qu'elle vient de mettre au monde ! De plus, à la grande loterie de la vie, c'est encore le hasard qui détermine lequel, parmi les centaines de millions de spermatozoïdes lancés à la course pour la survie, fécondera l'ovule, donc quel enfant naîtra.

A défaut d'amour romantique, les tantriques participant à ces rituels deviennent néanmoins incroyablement proches les uns des autres et forment vraiment un psychisme collectif, où tous se rencontrent, ce qui exclut tout égotisme ou possessivité et cette expérience, extraordinaire d'intensité et de profondeur, dépasse l'amour ordinaire. Néanmoins, je le répète, rendus à la vie ordinaire, les adeptes ainsi « mariés » pour une nuit, ne tentent pas de se retrouver à deux pour une aventure isolée. De plus, à chaque nouvelle pûjâ, ce ne sont pas identiquement les mêmes shaktis et shivas qui y participent, ni les mêmes couples qui se forment.

Une autre question se pose : « Mais pourquoi manger et s'accoupler en groupe ; ne peut-on pas faire pareil en couple ? » Très certainement, surtout en Occident, où nous ne sommes pas préparés à cette pratique collective. C'est pourquoi mon but, en publiant ce chapitre, n'est pas d'inciter à pratiquer la chakra pûjâ dans nos pays, dans les circonstances actuelles.

Nous devons néanmoins *comprendre* et Ajit Mookerjee, dans *Tantra Asana* nous l'explique : « La pratique collective agit puissamment sur les participants. Les vibrations du rituel les guident dans la même direction, vers un même but. Cette participation en groupe suspend l'identification à l'ego ainsi que l'affirmation de soi. Elle libère les aspirants de tout égocentrisme et attachement, elle éveille leurs énergies latentes.

Notons, au passage, que la chakra pûjâ « suspend » seulement l'ego. La pratique collective, loin d'annuler l'ego — c'est impossible —, l'intègre à l'overmind où il s'accomplit. L'autre aspect de la pratique collective est le lien subtil qui naît de la jouissance *commune.* Ainsi, par exemple, il est patent que le but réel d'un banquet de noce est d'unir les familles plutôt que de les nourrir : les parents de la mariée ne considèrent évidemment pas que l'autre famille est famélique et que c'est là une occasion de les rassasier ! Et, plus le but « nutritif » est accessoire, plus le repas doit être raffiné ! Pareil pour le sexe : même l'éjaculateur précoce réussit à procréer mais, pour la méditation à deux, il est disqualifié... à moins qu'il n'applique les procédés de la partie pratique de ce livre ! Toujours à propos de nourriture partagée, le lien subtil ainsi créé est si réel et profond qu'en justice un témoin est récusé s'il a mangé ou bu avec l'accusé. Pour résumer, le collectif amplifie la jouissance individuelle, y compris pour la sexualité : partagée, la jouissance sexuelle commune surmultiplie celle des individus.

L'autre constituant indispensable est le cercle, le chakra. Quand les huit couples en cercle seront traversés par l'intense émotion sexuelle collective, ils formeront en quelque sorte un cyclotron psychique. L'être humain ressent d'instinct ce besoin de former un cercle vivant. Les danses tribales de l'Inde et d'ailleurs s'exécutent presque toujours en cercle. Il arrive, chez nous, qu'avant de se séparer, des hommes ressentent le besoin de boucler le cercle en se tenant par les mains, et, dans cette chaîne d'amitié, il *se passe* quelque chose : « Ce n'est qu'un au revoir... ».

Le cercle est une figure géométrique unique car il relie à la fois, latéralement, les individus entre eux ainsi qu'avec le centre qui, dans le cercle magique, est souvent la bhairavi ou une belle jeune femme nue incarnant la Shakti cosmique et à laquelle le gourou s'unira. Déesse des cultes préhistoriques qui ont engendré le culte de la Shakti, elle reçoit l'offrande du vin, du poisson, de la viande, des grains aphrodisiaques, des fleurs aussi, qu'elle redistribue ensuite rituellement entre les participants après consécration par l'acharya.

La jeune femme, symbole vivant de la matrice cosmique, couchée sur le dos, les jambes écartées, offre ainsi son yoni, parfumé au santal, à la vue et à la méditation de tous : empereur ou clochard, saint ou assassin, chacun est passé par cette porte étroite en venant au monde. L'acharya tantrique, homme ou femme, baise le yoni avec respect puis, avec une pâte rouge, fait un point juste au-dessus du yoni, un autre entre ses sourcils, puis une ligne de points les relie, marquant ainsi le trajet que suivra la kundalinî éveillée lors de la pûjâ.

Les adeptes mâles s'inclinent vers leur shakti, baisent avec respect diverses parties de son corps en murmurant : « Bénis soient tes genoux, qui s'ouvrent pour ce cercle magique, béni soit ton yoni, source de félicité, béni soit ton ventre, source de vie, bénis soient tes seins, sources de lait, bénies soient tes lèvres qui profèrent les mots magiques et sacrés, béni soit ton front derrière lequel réside la Kundalinî éveillée. »

Dans les pûjâs non édulcorées, le gourou et la shakti s'unissent au milieu du cercle, transposant ainsi sur le plan humain l'union cosmique des principes féminin et masculin, donnant aussi le signal d'union rituelle pour les autres couples.

Au début, l'union se fait dans l'immobilité, seul le langage secret étant autorisé. Le contrôle absolu de l'éjaculation est requis de tous les shivas. En effet, si une éjaculation intempestive se produit en dehors d'une chakra pûjâ, c'est un simple « incident technique ». Dans une pûjâ, par contre, tout dérapage interrompant l'expérience dans un ou plusieurs couples, entraînerait autant de « courts-circuits » dans le cyclotron psychique et bientôt la tension collective se désagrégerait. C'est pourquoi les acharyas filtrent les adeptes avec rigueur pour ne retenir que ceux ayant atteint le degré de maîtrise sexuelle et le niveau spirituel requis.

Puis, les mouvements sont permis et l'orgasme est accepté sans restriction pour les shaktis à la condition de ne pas provoquer de dérapage chez les shivas. Ces orgasmes seront ressentis de proche en proche dans tout le cercle et porteront progressivement la tension sexuelle à son paroxysme avec d'extraordinaires réactions en chaîne dans le groupe. Depuis l'Inde, la chakra pûjâ a été « exportée » vers la Chine, ce qui atteste une fois de plus le caractère concret de ce rite.

Dans *La vie sexuelle dans la Chine ancienne*, p.324., van Gulik rapporte : « Il existe une description des rites tantriques accomplis dans le palais de l'Empereur, qui corrobore les observations de Tcheng Se-hsiao. Voici ce qui en est dit :

» Ha-Ma, un favori de l'Empereur (Hoei-Tsong, 1333-1367), lui présenta le moine tibétain Ka-lin-chen, spécialiste du rituel secret (tantrique). Ce moine dit à l'Empereur : « Votre Majesté règne sur tout dans son empire et possède toutes les richesses des quatre mers. Mais votre Majesté ferait bien de ne pas penser à cette seule vie. La vie d'un homme est brève, c'est pourquoi il faut pratiquer la méthode secrète de la Joie Suprême (qui assure la longévité). » L'Empereur se mit donc à pratiquer cette méthode, appelée *Discipline en Couples*. On l'appelle aussi *yen-t'ieeur*, c'est-à-dire *secret*. Toutes ces pratiques se rattachent à l'Art de la Chambre à Coucher. Puis l'Empereur fit venir des moines indiens pour diriger ces cérémonies et décerna à un moine tibétain le titre de Ta-Yuankouo-che, « Maître du Grand Empire Yuan ».

» Pour pratiquer ces disciplines, ils prirent tous des jeunes filles de bonne famille, qui quatre, qui trois, et ils appelèrent cela "sacrifier" *(kong-yang)*. Alors l'Empereur se livra quotidiennement à ces pratiques, assembla à cet effet femmes et jeunes filles en grand nombre, et il ne trouva de joie que dans ce plaisir dissolu. »

Si ce texte confirme l'authenticité historique des rituels sexuels, rien ne prouve cependant que l'Empereur ait dépassé le niveau de la jouissance physique. En effet, il ne suffit pas d'importer et de pratiquer la chakra pûjâ, même authentique et dirigée par un gourou indien, pour devenir ipso facto un tantrique accompli ! En tout cas, s'il pratiquait chaque jour, cela ferait conclure qu'il avait, au moins, assimilé le contrôle éjaculatoire !

Par le cercle, la pûjâ s'insère dans le symbolisme lunaire, dans le temps cyclique. Pour le tantra, 16 est le nombre sacré par excellence car il inclut les quatre phases de la lune fois les quatre saisons. De plus, 16 inclut les nombres sacrés traditionnels : 3 et son carré, plus le 7. Soit 3 x 3 + 7 = 16 ! Le 16 et le 8 se retrouvent aussi dans le tantra bouddhiste et les extraits suivants prouvent, en outre, le caractère bien concret de l'union sexuelle sacrée dans ce culte : « Le rituel du mandala (cercle) doit s'accomplir comme décrit dans le *Tattvasamgraha :* "Serrant dans ses bras la *prajnâ* (yoginî) de *seize* ans, unissant le vajra (lingam) et la cloche (yoni), il obtient la bénédiction du maître". » (HEV. II.111. 13)

Ou encore : « Dans le cercle on invitera *huit* enchanteresses bienheureuses, âgées de douze à *seize* ans, parées de colliers et de bracelets. On les nommera respectivement épouse, sœur, fille, nièce, épouse de l'oncle maternel, tante maternelle, belle-mère et tante paternelle. Que le yogi rende hommage à sa partenaire par des baisers et des étreintes profondes. Qu'il boive le camphre et en asperge le cercle. Qu'il leur offre de la boisson et il obtiendra bientôt la perfection. Le vin est bu, la viande mangée ainsi que les herbes. L'ayant dévêtue, qu'il l'embrasse encore et encore. Elle l'honorera en retour, chantant et dansant de son mieux puis ils jouiront de la réunion du vajra et du lotus. » (HEV.II.v 57-63).

Il est évident que seize ans n'est pas l'âge *réel* des yoginîs mais plutôt leur âge symbolique. Si cet âge devait être pris au sens littéral, toute femme ne pourrait participer au rite que pendant la seule année de ses seize ans ! Je relève aussi, dans cet extrait, qu'il faut les nommer mère, sœur, etc. Cela signifie qu'il doit voir la shakti dans sa mère, sa sœur, etc. Les ennemis du tantra n'ont pas manqué d'affirmer que le tantrique doit s'unir à sa mère, sa sœur, à toute la famille !

Souvent, sinon toujours, un diagramme mystique, un yantra — par exemple un triangle rouge —, ou un lingam en pierre noire, symbole de l'étreinte cosmique, occupe le centre. Le gourou et les adeptes psalmodient longuement des mantras tels que *Om Namo Shivaya,* ou des kirtans, pendant que le lingam de pierre est arrosé d'un mélange de lait et de miel... A mesure qu'il s'écoule ainsi du lingam dans l'*arghya,* qui figure la vulve, la shakti officiante le recueille et le partage entre les adeptes. Cette partie du rituel, qui a aussi été adoptée par la voie de Droite, dure souvent une bonne partie de la nuit et se célèbre même dans des ashrams hindous ultrapuritains (voir le chapitre « Des symboles à vivre »).

A ce stade, la tension érotique est déjà intense mais on refuse encore toute caresse ou contact direct avec le sexe. Le léger drapage a pour but d'accorder la priorité aux sensations tactiles, au contact, et d'éviter la contagion visuelle, gardée en réserve. Seuls les bustes sont nus, car l'étoffe ne couvre que les jambes et les sexes. Malgré la nuit, l'obscurité n'est pas totale. L'éclairage, réduit à la faible lueur de lampes à huile, laisse deviner plutôt que distinguer les couples, y compris le gourou et sa shakti.

Quand l'émotion sexuelle collective atteindra le degré voulu, sur un signal de l'officiant, ou imitant son exemple s'il s'unit à la shakti au centre du cercle, les shaktis s'allongent sur le dos, la tête vers le centre, les jambes repliées. Chaque shiva insère ses jambes allongées sous les genoux des shaktis, prenant ainsi la pose en « X », sauf que seule la shakti est couchée, le shiva étant assis, tourné vers le centre du cercle. Notre jeune shakti a posé ses mains sur les jambes du shiva qui place les siennes sur celles de la shakti, créant ainsi un point d'échange. Il n'y a pas encore de contact génital, mais bientôt la shakti se glisse progressivement vers le shiva jusqu'à ce que la hampe du lingam dressé vienne se placer dans le sens de la longueur contre la vulve. A ce moment, les mains deviennent actives et participent au jeu érotique, mais toujours sans intromission du lingam. Les sexes sont encore cachés par le drapage.

La chakra pûjâ abolit la prison de l'ego, efface la conscience empirique de veille au profit de niveaux plus profonds, et ce vécu, amplifié par le psychisme collectif du groupe, ouvre l'accès à l'overmind, au supramental.

La chakra pûjâ plonge ses racines dans les rites sexuels pré-aryens, d'où naquit le culte de la Shakti, lui-même un prolongement des rites archaïques de fécondité, accompagnés d'accouplements collectifs dans la nature, censés promouvoir, par mimétisme, la fertilité du sol et des femmes.

Ces rites orgiaques sont tellement ancrés dans l'overmind de l'humanité qu'ils survivent encore de nos jours, bien que de façon sporadique, même dans nos pays, malgré deux mille ans de répression. La chakra pûjâ, nous le savons, n'est pas une partouze, mais peut-être les partouzes les plus dépravées sont-elles, malgré tout, des résurgences de rites orgiaques préhistoriques . . .

Si j'évoque la chakra pûjâ, c'est pour en montrer la portée et ne pas y voir de la dépravation. L'objectif, j'insiste, n'est **pas** d'en encourager la pratique dans nos pays, du moins pas dans un avenir prévisible, bien qu'il ne soit pas exclu que des adeptes sérieux ne puissent un jour accéder à cette expérience.

Certes, même en Inde, sous le nom de chakra pûjâ des abus sont et seront commis, mais cela n'entame pas la profonde sagesse du rite authentique.

On peut suivre la voie de Gauche sans jamais participer à une chakra pûjâ, mais il est exclu d'être tantrique et d'ignorer ou de condamner cet aspect du culte de la Shakti.

Si les récits authentiques et de première main relatifs à la chakra pûjâ sont rares, rarissimes sont ceux de témoins dignes de foi ayant observé ce rite, sans y participer. C'est pourtant ce qu'Alexandra David-Neel a pu faire, grâce à la complicité (bien rémunérée) d'un jardinier. Voici donc son récit de « voyeur », puisqu'en français il n'existe, selon le dictionnaire, ni voyeuses, ni vieillardes : « Je vis le jardinier. Il me confirma que ses patrons adoraient en effet la Déesse pendant certaines nuits sans lune. Il appartenait à une secte vaïshnavite et réprouvait fortement le sacrifice d'une chèvre qui avait lieu au cours du culte que ses maîtres et leurs invités célébraient dans un pavillon isolé dans leur jardin.

» Le jardinier m'affirma qu'il lui serait facile de me laisser entrer de nuit par la porte de service existant près de la hutte où il logeait... Dans un coin de la véranda, un escalier montait à la terrasse et en me plaçant sur cet escalier il me serait possible de voir, par l'espace vide existant au-dessus des portes, ce qui se passerait à l'intérieur du pavillon. »

Alexandra, au jour indiqué, se vêtit d'un sari commun bleu très sombre, comme en portent les femmes de basse caste. De son escalier, elle pouvait voir le yantra, tracé dans un cadre plein de terre. Elle discernait aussi les plats contenant les éléments comestibles roulés en boulettes, ainsi qu'une jarre de vin aux dimensions imposantes. De son observatoire, elle pouvait regarder la succession des rites : « La fatigue me gagnait. Ma position incommode sur les marches de l'escalier, la tête tendue vers l'ouverture la plus proche de moi afin de ne rien perdre des yeux, me devenait pénible. Dans la nuit d'encre, des bandes de chacals, ces nettoyeurs nocturnes des agglomérations indiennes, rôdaient et glapissaient...

» Un mouvement se produisit parmi les fidèles. On amenait la victime, une pauvre petite chèvre qui bêlait. Des libations furent versées sur elle et l'officiant murmura un mantra à son oreille, puis, d'un seul coup du couteau à la lame courbe le sacrificateur trancha la tête de l'animal et celle-ci fut déposée sanglante sur le yantra, une petite lampe placée entre les cornes. Le spectacle était pitoyable.

» Les récitations recommencèrent, puis vint la communion qui me parut passablement copieuse, surtout quant à l'élément liquide. Chaque bouchée d'aliment solide était suivie d'une généreuse rasade. Cependant aucun des fidèles, que le champ limité de ma vision me permettait d'apercevoir, ne manifestait de signes d'ivresse.

« Beaucoup de temps s'écoula encore, puis chaque homme attira sa shakti à lui. Dans cette assemblée, je ne voyais pas de pûjâ shakti destinée à être adorée comme incarnant la Déesse. Les fidèles étaient accompagnés d'une seule shakti, leur femme légitime ou une autre *épouse en religion.* Je ne pouvais évidemment pas deviner le genre de liens qui unissaient les couples présents.

« Oserais-je dire que le cinquième élément, l'union sexuelle rituelle, se présenta avec une parfaite décence ? Les idées des Orientaux concernant ce qui est décent et ce qui est indécent sont très différentes des nôtres et rien de ce qui concerne le sexe ne leur paraît propre à donner lieu à l'hilarité ou au scandale.

« Les sadhakas, absolument silencieux et recueillis assis le buste droit dans l'attitude de certaines idoles tantriques de dieux unis à leurs épouses, accomplissaient un véritable acte religieux exempt de toute lubricité.

« Que d'autres shaktas, en d'autres assemblées, se vautrent ivres dans l'orgie, on le sait et j'en ai vu quelque chose au Népal, mais tel n'était pas le cas dans cette maison inconnue où je m'étais introduite en fraude. » *(L 'Inde où j'ai vécu*, p.190,191.) .

Véritable acte religieux, exempt de toute lubricité, pour reprendre les termes mêmes d'Alexandra David-Neel, voilà ce qui doit *nécessairement* caractériser une authentique chakra pûjâ. Voilà aussi pourquoi, nécessairement, elle doit être ritualisée. Nous sommes bien loin de la partouze...

Certes, le sacrifice de la chèvre peut choquer mais, dans la chakra pûjâ, les deux pouvoirs ultimes — opposés quoique complémentaires — sont ainsi concrètement présents : le pouvoir d'ôter la vie et celui de la donner. La mort et le sexe. L'Occidental au cœur sensible, qui mange son steak à la sauce béarnaise, tue par procuration. N'ayant pas vu abattre le bœuf et, a fortiori, ne l'ayant pas tué lui-même, il n'y pense pas. Entre parenthèses, la chèvre à qui on tranche la tête d'un seul coup, ne souffre pas : son sort est bien moins « pitoyable » que celui qu'elle aurait eu dans nos abattoirs.

Un jour, un Baul (au Bengale, les Bauls sont des tantriques ambulants), répondit à un Européen qui lui demandait pourquoi il tuait rituellement une chèvre : « Pour manger... ». Cette réponse candide cache une vérité essentielle : sur la planète, depuis toujours, la Vie prolifère en s'autodévorant. C'est la règle du jeu : je survis en sacrifiant d'autres vies, animales ou végétales. Enfant, pour m'inciter à manger, mon père me disait, sans arrière-pensée philosophique : « Mange ! Tu ne sais pas *qui* te mangera ! » Quand je lui demandais *qui*, il répondait : « Les petits vers... ».

La chakra pûjâ ne s'accompagne pas toujours du sacrifice immédiat d'un animal, mais en mangeant la viande, le poisson et les céréales, chaque adepte pense à cette règle du jeu et ainsi s'unit consciemment à l'« élément », représenté.

L'orgie et nous

Si l'ascèse à seize nous choque, c'est justement parce qu'elle se pratique... à seize ! Selon nos structures mentales, c'est une partouze, une orgie, *donc* c'est obscène, *donc* immoral, *donc* mauvais. Loin de moi l'idée de vouloir nous — vous et moi ! — convertir à un culte orgiaque, mais sachons au moins que la sexualité innée est fort différente de son expression actuelle, conditionnée par la religion et les lois. Artificiellement, des restrictions nous sont imposées, et j'insiste encore qu'il ne s'agit pas de desserrer tous les freins, ce qui perturberait l'ordre social. Sans rejeter notre éducation, plus ou moins puritaine, sachons que des concepts aussi « évidents » que la pudeur ou la décence sont très relatifs et que l'indécent d'ici et maintenant peut, demain, devenir banal : qui est encore choqué de voir les femmes s'ébattre les seins nus sur nos plages, mais quel tollé à la « Belle Epoque » ! Ainsi, quelques décennies ont suffi à chambouler ces notions de décence, de convenable et d'obscène, si subjectives qu'une Conférence Internationale des Publications Obscènes, tenue à Genève en 1923, n'a pu *définir* le mot *obscène* : « Après avoir examiné avec soin la question de savoir s'il est possible ou non d'insérer une définition du mot "obscène" acceptable par tous les Etats, la Conférence est arrivée à une conclusion négative et a reconnu, comme lors de la Convention de 1910, qu'il appartient à chaque Etat d'y attacher la signification qui lui semblera convenir. »

Ainsi l'idée de péché attachée à tout ce qui touche au sexe est acquise et non innée. L'homme archaïque n'était pas honteux de ses organes génitaux et l'acte sexuel était une activité toute naturelle lui apportant du plaisir en assurant sa survie et la prospérité de la tribu. La fertilité de la femme et de la nature étaient associées : tous les peuples du monde ont, à un moment donné de leur évolution, pratiqué des rites de fécondité orgiaques. Ainsi, au moment des semailles ou des moissons, toute la tribu en fête se livrait à des danses érotiques et, quand l'excitation sexuelle générale parvenait à son paroxysme, elle se libérait dans des accouplements collectifs.

Mircea Eliade écrit dans *Histoire des religions*, p.301 : » Généralement l'orgie correspond à l'hiérogamie. A l'union du couple divin doit correspondre, sur terre, la frénésie génésique illimitée. A côté des jeunes couples qui répétaient l'hiérogamie dans les sillons, devait se produire l'accroissement maximum de toutes les forces de la collectivité. Ces excès remplissent un rôle précis et salutaire dans l'économie du sacré. Ils brisent les barrages entre l'homme, la société, la nature et les dieux ; ils aident à faire circuler la force, la vie, les germes d'un niveau à l'autre, d'une zone de la réalité dans toutes les autres. Ce qui était vide de substance se rassasie ; ce qui était fragmenté se réintègre dans l'unité ; ce qui était isolé se fond dans la grande matrice universelle. L'orgie fait circuler l'énergie vitale et sacrée.

» [...] *Holi*, la principale fête indienne de la végétation où tout était permis, a gardé jusqu'à une époque récente tous les attributs d'une orgie collective, déchaînée pour exacerber et porter au maximum les forces de reproduction et de création de la nature entière. Toute décence est oubliée, parce qu'il s'agit là d'une chose bien plus sérieuse que le respect des normes et des coutumes ; il s'agit d'assurer à la vie sa continuité.

» Les hindous se permettent aussi une très grande liberté sexuelle durant les fêtes de Bah, où tout est permis, sauf l'inceste. Les Hoses du nord-ouest de l'Inde pratiquent de formidables orgies durant la moisson...

» La débauche habituelle aux fêtes de la récolte, dans l'Europe Centrale et Septentrionale, a été stigmatisée par bien des Conciles, par exemple par celui d'Auxerre en 590, et par nombre d'auteurs du Moyen Age, mais elle a continué tout de même dans certaines régions jusqu'à nos jours.

» L'orgie est une modalité de la vie collective. Les hommes y perdent leur individualité, se fondent dans une seule unité vivante. On expérimente de nouveau l'état primordial. L'homme se réintègre dans une unité biocosmique, même si cette unité signifie une régression de la modalité de la *personne* à celle de *semence.*

» Dans les traditions populaires européennes se sont conservées des traces ou des fragments de scénarios archaïques, telle la coutume selon laquelle, au début de l'été ou à la Saint-Jean on apporte un arbre de la forêt et on le place au milieu du village... Dans les Vosges, la cérémonie a lieu le premier dimanche de mai. En Suède on met des mâts de Mai dans les maisons, surtout au solstice d'été. Partout où se retrouve ce cérémonial, de l'Ecosse et de la Suède jusqu'aux Pyrénées et chez les Slaves, le « mât de Mai » est une occasion de divertissements collectifs qui prennent fin par une danse autour du mât et, comme toute manifestation de ce genre, participe plus ou moins de l'orgie.

» Un auteur puritain anglais, Phillip Stubbes, dans son *Anatomy of Abuses* (London, 1583) condamne avec indignation ces survivances païennes. Car, dit-il, « les jeunes gens des deux sexes passent la nuit dans la forêt avec Satan pour Dieu, et lorsqu'ils amènent au village le "mât de Mai", "this stynking ydol" (cette idole puante), tous dansent autour de lui une ronde païenne. Un tiers seulement des jeunes filles rentrent chez elles "undefiled",—"non-souillées" (!).

» Malgré toute la résistance de l'Eglise, la "fête de Mai" a continué à être célébrée. Les profondes transformations sociales n'ont pas réussi non plus à l'abolir, elles n'en ont changé que le nom. Au Périgord, et en bien d'autres lieux, l'arbre de Mai devint un symbole de la révolution française ; on l'appelle "l'arbre de la Liberté", mais autour de lui les paysans dansent ces mêmes rondes archaïques que leur ont transmis leurs ancêtres. Le jour du ler Mai, fête du travail et de la liberté, conserve en partie ce mythe. »

Les travailleurs qui défilent pendant les manifestations du 1er Mai ne se doutent sûrement pas de l'origine de cette fête. Alors, *Arbre de Mai* ou lingam ? Les tantriques n'hésiteraient pas à assimiler les deux.

Toujours en Europe et de nos jours, en plus de la fête scandinave de la Saint-Jean, évoquée ci-dessus, le carnaval perpétue ces rites de fécondité. Anciennement, la stimulation sexuelle intense faisait que toutes les femmes fécondables devenaient enceintes, ce qui à l'époque du stérilet et de la pilule semblerait regrettable, mais qui était hautement désirable à toutes les autres époques de l'humanité.

Même les Sémites ont adoré, à un certain moment de leur histoire, le couple divin du dieu de l'ouragan et de la fécondité, Ba'al, et de la déesse de la fertilité (surtout agraire) Bêlit. Ce culte paléosémitique qui révélait — jusqu'à l'exacerbation et au monstrueux — la sacralité de la vie organique, les forces élémentaires du sang de la sexualité et de la fécondité, a gardé sa valeur sinon pendant des millénaires, du moins pendant de nombreux siècles. La réaction en sens opposé a sans doute été à la mesure des excès commis.

Ce qui précède éclaire l'ascèse à seize sous un tout autre jour. Le tantra y canalise ces cultes orgiaques « normaux et spontanés », les ritualise, les sacralise : la partouze est bien loin !

Tantrisme et promiscuité

Si, dans le public, plus d'un identifie tantra et promiscuité sexuelle, je répète qu'en décrivant la chakra pûjâ mon but n'était pas d'inciter à sa pratique en Occident mais bien de montrer que, dans les conditions voulues et avec l'état d'esprit correct, des adeptes sélectionnés longuement préparés et dirigés par un vrai gourou, pouvaient en faire une expérience spirituelle collective de haut niveau.

Bien que la chakra pûjâ ne soit pas un article d'exportation, elle m'a servi de canevas pour exposer, à travers son symbolisme, la pensée tantrique profonde. En fait, la promiscuité pure, la partouze, est ipso facto anti-tantrique car elle exclut l'ambiance spirituelle indispensable .

Cependant, si quelqu'un a contribué à implanter ce préjugé de promiscuité associé au tantra, c'est bien Rajneesh — l'homme aux 92 Rolls-Royce — qui, en toute modestie, s'autoproclame Bhagwan Shree Rajneesh, c'est-à-dire Notre Divin Seigneur Rajneesh. Ainsi, un hindou traduirait Notre Seigneur Jésus-Christ par Bhagwan Shree Christus ! Personnage hors du commun, orateur charismatique, penseur original mais utopique, il a dit de fort belles choses que je cite à l'occasion. L'essence de son message est (ou était ?) : « Vous êtes tous des névrosés. Alors, baisez, baisez, pour dissoudre vos inhibitions sexuelles et vous libérer de votre névrose », doctrine qu'il faisait appliquer dans son centre à Poona, où c'était la partouze en non-stop dans ses fameux « groupes ».

En plein jour, sans se cacher et encouragés par ses discours, les couples s'enlaçaient, se pelotaient, et au-delà... Quant à ce qui se passait dans ses « groupes de rencontre », dans les sous-sols, mieux vaut ne pas en parler. Ce débridement sexuel a scandalisé les habitants de Poona au point d'expulser Rajneesh d'Inde et de fermer son centre.

Je ne juge ni Rajneesh, ni ses disciples, presque uniquement des Occidentaux d'ailleurs, d'autant qu'entre-temps il avait pris un ample virage : après avoir été chassé des U.S.A. où il s'était réfugié, il s'était réinstallé à Poona, il s'y faisait discret et il n'y était, paraît-il, plus question de « groupes ». Néanmoins, le mal est fait et je connais plusieurs personnes qui ont été nerveusement très choquées pour avoir participé à de tels groupes. Mr Osho, alias Rajneesh est décédé ans en 1990 à 58 ans à Poona. Qu'il repose en paix.

Ce qui est gênant, c'est qu'il appelait sa doctrine « néo-tantra », alors qu'il suffirait d'en biffer la lettre « é » pour que nous soyons d'accord, car il n'a rien repris de l'authentique tradition tantrique : ni rituels, ni mantras, ni yantras, ni symboles tantriques, ni même la sacralisation de la sexualité. Un peu comme si on baptisait « néo-catholique » une secte omettant le Christ, les Evangiles, la Messe et les prêtres ! Car, baiser n'importe qui, n'importe où, n'est pas du tantra.

Je résume : sa doctrine *le* concerne ainsi que ses disciples, mais qu'on lui donne un autre nom. Il est regrettable pour le vrai tantra que son staff de marketing, d'une redoutable efficacité, ait fait tant de tam-tam et qu'ainsi le mot « tantra » soit devenu, pour beaucoup, synonyme de promiscuité. Il n'est pas seul en cause : quand un livre sur le tantra évoque la chakra pûjâ — sauf rarissime exception, que je ne connais d'ailleurs pas —, il se borne à citer le fait brutal de huit couples se réunissant, faisant l'échange des partenaires, puis s'accouplant. Allez donc distinguer ça d'une partouze…

Autre cause de malentendus : le tantra, n'étant pas une religion, ni une organisation sociale, n'apporte aucun dogme, aucun credo, aucune morale toute faite. Pour le tantra, toute morale est relative et dépend de l'époque et du lieu. Une comparaison. En théorie, il n'y a guère de raisons de privilégier la conduite à gauche plutôt qu'à droite. Comme il s'agit d'une convention, a priori, le tantra ne prendra pas position. Néanmoins, en Angleterre, il est « moral » de rouler à gauche, mais criminel de le faire sur le continent européen. Alors, selon qu'il conduit en France ou en Grande Bretagne, le tantrique roule respectivement à droite ou à gauche, tout en sachant qu'il s'agit d'une convention sans valeur absolue. Donc, ne pas apporter de morale préfabriquée n'équivaut pas au rejet de toute règle.

De même, dissocier « rapport sexuel » et « mariage » en se plaçant sur le plan Shiva-Shakti, n'implique pas le rejet de l'institution du mariage : à chaque adepte de se conformer à son propre contexte socio-religieux. Certes, le tantra ignore nos notions de péché à propos du sexe en quoi il voit la communication humaine ultime et ne se préoccupe pas de savoir si le couple tantrique a signé un contrat ou non. Toutefois, toute société humaine se doit de réguler la sexualité ainsi que le rapport homme-femme : à chaque tantrique de se déterminer à cet égard. Dans nos pays, le mariage semble incontournable et aucune solution de remplacement ne se profile à l'horizon, sans pour autant que « mariage » et « couple » soient synonymes.

Alors, le tantra menace-t-il les couples ? Constatons d'abord que, dans nos pays, la proportion des mariages capotant dans le divorce est énorme et non imputable au tantra. Par ailleurs, je connais plus d'un couple marié qui allait à la dérive et que la vision et la pratique tantriques ont ressoudés et redonné une nouvelle jeunesse. De plus, la pratique du maïthuna tantrique requiert un « entraînement » et un accord entre les partenaires qui, en s'affinant avec le temps, rend un changement de partenaire plus difficile. Il en va d'eux comme de ces couples de patineurs champions qui, à force de s'être entraînés ensemble, en deviennent presque inséparables. Parfois, dans un couple tantrique mûr et sûr, il arrive que des rapports *tantriques* « externes » soient non seulement acceptés sans perturber le couple et même l'enrichissent. Ma constatation : les couples tantriques, mariés ou non, ne sont pas moins stables que les couples « ordinaires », je dirai même, bien au contraire !

Le symbolisme des cinq Makaras

Dans le rituel tantrique, la chakra pûjâ et les cinq Makaras sont si imbriqués qu'il est impensable de les dissocier. Alors, faute de mieux j'ai choisi d'exposer d'abord le déroulement de la pujâ avec les cinq Makaras, sans m'attarder à leur symbolisme, pour y revenir ensuite, c'est-à-dire maintenant.

Une remarque : bien que la chakra pûjâ ne se conçoive pas sans les cinq Makaras, qui lui donnent tout son sens, l'inverse est possible et c'est heureux pour la pratique en Occident. Profondément symboliques quoique très concrets, les cinq Makaras font percevoir l'émergence, ici et maintenant, de forces cosmiques ultimes et accéder au sacré, au « signifiant » caché derrière l'« insignifiant », derrière ce qui paraît banal et profane.

Or, les cinq Makaras, composés d'actes aussi banals, en apparence, que manger, boire et s'accoupler, impliquent cependant deux pouvoirs ultimes : **ôter** la vie et la **perpétuer,** les deux étant inextricablement imbriqués.

Ecoutons encore Mircea Eliade : « L'une des principales différences qui séparent l'homme des cultures archaïques de l'homme moderne réside dans l'incapacité où est ce dernier de vivre sa vie organique, en premier lieu la sexualité et la nutrition, comme un sacrement...

» Ce ne sont que des actes physiologiques pour l'homme moderne, tandis qu'ils sont, pour l'homme archaïque, des sacrements, des cérémonies servant à communier avec *la force* que représente *la Vie* même.

» *La force* et la *Vie* sont des manifestations de la *réalité ultime ;* ces actes élémentaires deviennent, chez le « primitif », des rites aidant l'homme à approcher la réalité. [...] Le rite consiste toujours dans la répétition d'un geste archétypal accompli *in illo tempore* (au début de l'« Histoire ») par les ancêtres ou par les dieux, pour « onticiser » ainsi les actes les plus banals et les plus insignifiants. Le rite coïncide, par la répétition, avec son archétype, abolissant ainsi le temps profane. On assiste, pour ainsi dire, au *même acte* accompli *in illo tempore,* à un moment auroral cosmogonique. En transformant tous les actes physiologiques en cérémonies, l'homme archaïque s'efforce de « passer outre », de se projeter au-delà du temps (du devenir), dans l'éternité...

» En se nourrissant ou en faisant l'amour, le primitif s'insère dans un plan qui, en tout cas, n'est pas simplement celui de la nutrition ou de la sexualité. » *(Histoire des religions,* p.40)

De même, par les 5 M et la chakra pûjâ, le tantra vise l'expansion de la conscience, le dépassement de l'ego, la suppression des frontières illusoires entre « toi », « moi », « les autres », entre le monde « intérieur » et l'« extérieur ». Pour le tantra, l'univers est un gigantesque tissu, dont chaque être, chaque objet, chaque atome est une fibre. Individu, j'ai l'illusion de (presque) me suffire à moi-même, d'être un ego, une entité autonome, ce qui est une tragique illusion car, à moins de transcender mon ego, il devient ma prison et la cause cachée de toute souffrance. Attention : « transcender » ne signifie pas nier ou détruire. Mon ego a une existence réelle mais limitée, c'est une structure indispensable, mais il n'est pas le Soi réel et ultime.

Ici, il faut se souvenir que, pour le tantrique et pour le physicien, l'infinie multiplicité des formes perçues par nos sens cache l'unité fondamentale de la matière et son essence, l'énergie cosmique pure, la Shakti ! De même, le foisonnement des espèces et des individus voile l'unité de la vie, l'autre modalité de l'énergie cosmique créatrice.

Toutefois, au lieu de tourner le dos à la vie et de poursuivre un absolu métaphysique au prix d'une ascèse mortifiante, le tantrique s'intègre au monde, à la vie et en jouit. Pour lui, la jouissance *(bhoga, ânanda)* est essentielle à la vie : toujours et partout, chaque être la poursuit ou fuit la souffrance, le revers de la médaille.

Qu'il le veuille ou non, l'individu le plus retranché dans son ego **doit,** pour vivre et se survivre, s'unir à d'autres formes de vie, en s'accouplant et en mangeant. Manger est un acte de fusion aussi ultime, voire plus intime encore que de s'accoupler : ce que je mange devient ma propre substance. Pour se perpétuer, l'homme *doit* abandonner son ego, auquel il s'identifie : il *doit* confondre son hérédité, ses gènes, avec ceux d'un « étranger » ou une « étrangère ».

Sans cesse, la matière vivante se recycle : ce qui est aujourd'hui le corps d'un être sera demain dans un autre et ainsi de suite à l'infini. Pour manger, il faut tuer un végétal ou un animal, d'où le sacrifice de la chèvre auquel Alexandra David Neel a assisté. En mangeant son bifteck au restaurant en joyeuse compagnie, l'homme moderne oublie le bœuf auquel on a pris la vie : c'est presque une abstraction. Mais après avoir vu le sacrifice de la chèvre avant la pûjâ, en mangeant sa chair, chaque adepte saura qu'il ne survit qu'au prix de la mort d'autres formes de vie, animales ou végétales : même manger un innocent bout de fromage implique la mort de millions de bactéries, êtres vivants et conscients...

Mais si manger, donc tuer, est l'inéluctable nécessité pour tous, de la bactérie à la baleine, la même loi implique aussi d'être soi-même dévoré par d'autres, ce à quoi l'homme tente d'échapper en scellant son cadavre dans un cercueil ou en l'incinérant.

Au-delà de ce drame permanent, la Vie est une et le sexe en est la pulsion vitale et universelle, la réponse à la mort, la trame mystérieuse des espèces, dont elle brasse les gènes à l'infini. Manger et procréer sont aussi les jouissances ultimes : loin de les culpabiliser, dans la chakra pûjâ et les cinq Makaras, le tantra les exalte.

Si tous les vivants tuent, mangent et procréent, sont-ils tous des tantriques ? Non, car dans le tantra, la pulsion biologique brute est sacralisée, ritualisée. Mircea Eliade écrit *(L'Epreuve du labyrinthe) :* « Dans le tantrisme, la vie humaine est transfigurée par des rituels, effectués à la suite d'une longue préparation yogique [...] Dans l'union rituelle, l'amour est plus qu'un acte érotique ou simplement sexuel, c'est une sorte de sacrement ; boire du vin, dans l'expérience tantrique, ce n'est pas boire une boisson alcoolisée, mais partager un sacrement... »

Ritualisation, transfiguration, voilà bien l'essence et le sens des cinq Makaras.

Les éléments : leur sens caché

« Sache, O Chère, que le feu (énergie) est le premier tattwa, l'air le second, l'eau le troisième, la terre le quatrième. Par la science des cinq tattwas et des rites du Kula, l'homme s'émancipe dès cette vie.

» Le premier tattwa est la panacée qui donne l'énergie vitale aux créatures et efface leur tristesse. Le second proviendra soit d'un village, de l'air, de la forêt ; il doit être nutritif, augmenter l'intelligence, l'énergie et la force. Le troisième, O Dame de bon augure, naît dans l'eau, est beau, délicieux et dispense le pouvoir d'engendrer. Le quatrième, peu coûteux, est produit par la terre, donne la vie aux créatures et est à la base de la vie dans les trois règnes. Le dernier tattwa, O Déesse, procure de grandes joies ; à l'origine de toutes les créatures, sans commencement ni fin, il est la racine de l' univers. Ainsi parla Sadashiva de Bon Augure. » (Mah. p. 111)

M.N. Dutt précise, à propos du second tattwa ou ingrédient, qu'il s'agit de la viande de chèvre ou de mouton élevé au village, ou de perdrix, ou d'autres volatiles vivant à l'air, ou encore de cervidé ou autre gibier de la forêt. Le troisième désigne clairement le poisson qui, dixit le texte original, est « ce qui accroît la progéniture », autrement dit augmente le potentiel génésique. Le quatrième, ce sont les céréales et le cinquième, c'est le maïthuna, « en tant que support de la création » (p.111).

Une constatation : les cinq éléments du tantra, la Terre, l'Eau, l'Air, le Feu et l'Ether, sont ceux de l'alchimie, dont le but ultime est de régénérer l'homme banal, profane et de lui révéler sa réalité supérieure ainsi que ses pouvoirs, cachés derrière sa nature apparente. Si cette démarche recouvre en partie le tantra, alchimie et tantrisme se distinguent surtout par les moyens employés.

Ces éléments ont prévalu en Occident jusqu'à l'avènement de la chimie moderne, qui s'en passe fort bien, tout comme la physique d'ailleurs. Alors, pourquoi s'y attarder ? Par simple curiosité ? Si c'était le cas, j'expédierais la question en quelques lignes, mais il n'en est pas ainsi.

Définir les tattwas

Il est malaisé de définir les tattwas, ou éléments, qui sont à la fois concrets quoique impondérables, subtils quoique matériels. En gros, l'élément n'est pas un objet tangible, c'est un ensemble de lois et de forces conditionnant un état particulier de la matière et lui conférant des propriétés spécifiques.

L'élément « Terre » *(Ksiti).* Il suffit de lever la tête vers le ciel étoilé pour se rendre compte que l'univers, c'est surtout du vide. Toutefois, par-ci, par-là, la matière cosmique se densifie au lieu de se répartir uniformément dans ce vide intergalactique qui effrayait tant Pascal.

Partant de la définition d'un élément, toutes les lois et toutes les prodigieuses énergies cosmiques qui concourent à cette densification constituent l'élément Terre, avec majuscule. Ainsi, notre terre, sans majuscule, n'est qu'une simple manifestation locale de l'élément Terre. Le soleil et tous les corps célestes sont aussi des manifestations de l'élément « Terre », le plus élémentaire qui soit (évidemment) puisqu'on est assis dessus ! En fait, chaque atome de chaque objet perçu est de la matière cosmique densifiée et a fait partie d'un corps céleste incandescent. Mon corps est, littéralement, du soleil refroidi, condensé.

L'élément « Eau » *(Apa) :* c'est, bien sûr, ce qui maintient la matière à l'état liquide et l'eau, le fluide le plus commun sur notre planète, en est le prototype. Evident, mais où est l'intérêt ? Cet intérêt est énorme car les fluides sont les *capteurs des rythmes cosmiques* qui, à leur tour, dirigent tous nos biorythmes. Le plus évident de ces rythmes, c'est celui des marées qui, nuit et jour, brassent les océans en réponse à l'attraction lunaire, mais aussi à celle du soleil : quand les deux s'additionnent, cela donne les grandes marées. A la limite, chacune des innombrables galaxies agit sur tous les liquides de l'univers, pas seulement ceux de notre planète.

Mais ces rythmes cosmiques n'impliquent pas que les océans : il y a une mini-marée dans un verre d'eau, dans une goutte d'eau ! Et mon corps étant à 85 % fait d'eau, tous mes biorythmes y sont soumis. Lisez à ce sujet, le chapitre « Contemplons notre Mère, la mer ».

Même les arbres la subissent : les bois ont des propriétés et des qualités variables selon la phase de la lune lors de l'abattage ! Le bois qui se conserve le mieux, c'est celui qu'on abat l'hiver, à la nouvelle lune, alors que le repos hivernal de la végétation, qui entraîne l'arrêt presque total de la circulation de la sève, réduirait cette influence presque à zéro. Theodor Schwenk dans *Das sensible Chaos,* note que les bois nobles d'Amérique du Sud sont toujours frappés d'un sceau marquant la phase de la lune à l'abattage, ce qui détermine leur valeur.

Ainsi, par l'intermédiaire des fluides corporels, dans l'intimité tiède de mes tissus, dans chaque cellule, la lune et tous les corps célestes règlent l'imperceptible ballet de mes rythmes vitaux.

L'« Air », *(Vayu)*, c'est, on s'en serait douté, la matière à l'état gazeux. Pour le tantra, les gaz véhiculent des énergies cosmiques subtiles. Depuis des millénaires, les yogis tantriques savent que l'air n'est pas un gaz inerte, qu'il capte et transporte une énergie impalpable, le *prâna*, variable selon la saison et le lieu. Ils savent que notre vitalité en dépend et que « sa nature est celle de l'éclair », ce qui est une intuition extraordinaire, car c'est vrai, littéralement.

Or, jusqu'à très récemment, la science (la biologie en particulier), se préoccupait surtout de la composition moléculaire de l'air : azote, oxygène, gaz rares, en négligeant son ionisation. Actuellement, on sait que l'atome d'oxygène de l'air peut être ionisé, c'est-à-dire avoir un minuscule « paquet » d'énergie excédentaire donc disponible. Selon la proportion d'atomes d'oxygène ainsi ionisés, l'air a des propriétés vitales bien différentes et, sachant cela, les yogis ont inventé des techniques spécifiques, permettant de capter, d'accumuler, de contrôler le prâna et d'augmenter notre vitalité : lisez, à ce sujet, mon livre *Pranayama, la dynamique du souffle*.

Le côté très pratique de cet élément, lié aux sources même de notre vitalité, apparaît, par exemple, sous la forme de l'*office sickness*, le « mal des bureaux » qui frappe ceux qui vivent en vase clos, dans ces bâtiments où sévit l'air conditionné. Selon la théorie yogique, le « mal des bureaux » s'explique aisément : un tel air, vide de prâna, doit nécessairement saper la vitalité et provoquer divers désordres. Après l'avoir ignoré ou méconnu pendant longtemps, on commence, petit à petit, à s'en rendre compte, mais les orgueilleux buildings aux fenêtres scellées, sont là, et pour longtemps encore... Il reste, à ceux qui sont astreints à y vivre, la ressource de compenser ce déficit en consacrant quelques minutes par jour aux exercices de pranayama décrits dans mon livre cité ci-dessus.

L'élément « Feu » *(Tejas)*, c'est la matière à l'état « rayonnant », par exemple, le rayonnement du soleil et des étoiles, mais aussi du feu ordinaire. Sans l'élément Feu, notre planète serait glacée car le soleil ne pourrait pas rayonner sa chaleur jusqu'à nous à travers l'immensité spatiale et nous ignorerions jusqu'à son existence et celle des étoiles.

En fait, le problème ne se poserait pas car, sans le rayonnement solaire qui anime toute vie sur terre, nous ne serions pas là pour en parler ! (Voyez aussi le chapitre consacré à Shiva, le Danseur cosmique qui danse au sein du « feu » universel).

L'élément « Ether », *(Akâsha)*, c'est l'élément alchimique qui a résisté le plus longtemps devant l'assaut de la science. En effet, il était axiomatique de considérer que le vide universel était plein d'une substance ténue à l'extrême, n'offrant aucune résistance à la propagation des ondes et particules à haute énergie : il semblait impensable que quoi que ce soit puisse se propager dans le néant. Tout a basculé en 1880, à cause des résultats négatifs des expériences de Michelson, qui voulait mettre l'éther en évidence grâce à l'interféromètre ultrasensible inventé par lui. Depuis, la physique a largué ce dernier élément, du moins provisoirement, car, timidement, sur la pointe des pieds, il prépare une rentrée feutrée...

Pour le tantra, l'élément Ether, *Akâsha,* c'est tout à la fois « notre » éther, c'est-à-dire la matière à l'état le plus subtil concevable, plus *quelque chose* d'indéfinissable scientifiquement (oserais-je dire « provisoirement » ?), que j'appellerais, faute de mieux, *l'espace dynamique.* Dans la conception usuelle, naïve, l'espace est un grand trou inerte, dans lequel le Créateur a fourré l'univers. Bien sûr, telle n'est pas la vision de la science qui n'est cependant guère mieux lotie car on ignore totalement la *nature* de l'espace, tout comme celle du temps d'ailleurs.

Pour le tantra, *Akâsha,* l'espace dynamique, c'est le point d'émergence permanent de la création, l'imprécise frontière où le manifesté surgit du non-manifesté, partout et toujours. C'est le support omniprésent de l'univers manifesté et voilà pourquoi le maïthuna, l'union rituelle, le symbolise, car c'est l'acte le plus *(pro)*créateur qui soit, la réplique de l'acte créateur cosmique ultime.

Tout ceci, je vous l'accorde, est très schématique, comme tant de choses dans ce livre à vocation panoramique plutôt qu'académique. Ceci dit, il reste à intégrer ce symbolisme aux cinq Makaras.

Commençons par *Mudra,* le grain. En le mangeant avec respect, le tantrique sait que cet ingrédient « peu coûteux, produit par la terre, donne la vie aux créatures et est à la base de la vie dans les trois règnes ». A travers lui, c'est un retour à la Terre-Mère féconde de l'homme archaïque, en hommage de qui se tenaient les rites orgiaques de fertilité. Manger des céréales, c'est s'unir à la terre nourricière, c'est absorber en soi le monde matériel avec lequel je suis en échange constant.

En mangeant le poisson *(Matsya),* qui « né dans l'eau, est beau, délicieux et dispense le pouvoir d'engendrer » — le symbolisme sexuel du poisson est connu —, le tantrique s'unit symboliquement à l'élément Eau, source de toute vie, sans lequel la terre serait un astre mort, et à toutes les créatures vivant dans les mers, les lacs et les rivières. Je rappelle (voir « Contemplons notre Mère la mer ») le mot du commandant Cousteau : « Nous sommes de l'eau de mer organisée ». C'est littéralement vrai : je suis un aquarium ambulant. C'est la raison pour laquelle, parmi les accessoires rituels, se trouve la *ghata* (amphore, symbole de l'utérus) pleine d'eau parfumée figurant le liquide amniotique, ornée, en signe de fécondité, de fleurs, de fruits, de rameaux et décorée de *tilakas,* marques rituelles tracées avec de la poudre vermillon ou de la pâte de santal. Dans l'utérus, pendant mon développement fœtal, je suis repassé par le stade « poisson » et, mystérieusement, quelque part, quelque chose en moi s'en souvient.

En consommant la viande *(Mamsa)*, l'adepte s'unit à tout ce qui vit dans l'air, à toute la vie animale, des mammifères aux oiseaux. Surtout en mangeant celle de la chèvre sacrifiée, l'adepte sait que, pour manger, il a fallu la tuer et c'est avec vénération qu'il accepte ce sacrifice.

Avant de lui trancher la tête d'un seul coup, ce qui lui épargne de souffrir, la chèvre a été longuement « initiée », consacrée rituellement. Le gourou lui a murmuré à l'oreille le mantra salvateur qui la fera se réincarner sous une forme plus évoluée. Pendant tout ce temps, le calme de la chèvre est remarquable : même quand on lui fixe la tête dans le pieu sacrificiel en forme de Y et qu'on l'étire, elle ne se débat pas, comme si elle comprenait et acceptait son sacrifice. Surprenant.

La *Mârkandeya Purâna*, XC1.32 dit :

OM, béni soit l'animal
avec ses cornes et ses membres
OM, fixe l'animal au sombre pilier
qui sépare la vie de la mort
OM, attache bien l'animal
qui symbolise en partie l'Univers.

Juste avant d'assener le coup fatal :

OM, Hrim, Kâlî, Kâlî,
de tes dents terribles
dévore, avale, tranche
tue. .

... puis, un éclair de métal : le cimeterre s'abat.

Cela paraît cruel à ceux qui tuent... par procuration. Dans nos abattoirs, on ne fait pas de chichi : le bétail est-il respecté avant d'être abattu ? Poser la question, c'est y répondre...

Pour que son sacrifice demeure bien présent à l'esprit, je rappelle que la tête est posée sur un plateau, avec une lampe allumée sur le crâne, symbole de son Soi Immortel et conscient.

Le vin *(Madya)*, c'est l'élément Feu et le *Mahanirvana Tantra* (VI, 185-187) précise : « Sa shakti étant assise à sa gauche, l'adorateur lui présentera une belle coupe *(pânâ pâtra)* en or, en argent, en cristal ou une coque de noix de coco. A sa droite, il posera le plat de viande *(Shuddi Pâtrâ)*. Puis le précepteur intelligent distribuera, ou fera distribuer, le vin dans les coupes, la viande dans les plats, selon l'ordre des préséances. Il boira et mangera avec ses adeptes, d'abord le meilleur plat de viande puis, le cœur réjoui, les tantriques lèveront tous leur coupe de vin. Ensuite, en méditant sur Kundalinî, siège de la conscience et de l'énergie spiralée, circulant de la langue à la base du corps, ils réciteront le mantra principal ; enfin, s'y autorisant mutuellement, ils porteront la coupe aux lèvres ».

Parlons d'abord de la coupe qui symbolise le yoni tout en évoquant une calotte crânienne : dans la pûjâ, l'image de la mort doit être bien présente pour donner du relief à ses antidotes, manger et procréer.

Anciennement et traditionnellement, c'était dans une vraie calotte crânienne que le vin était bu, le vin qui évoque le sang, symbole de vie et, à cet usage, un crâne de brahmane était très recherché. Plus tard, ces crânes devenant rares, on leur substitua une coque de noix de coco. Sachant cela, on voit d'un autre œil cette coutume indienne encore en vigueur : avant que le fils aîné d'un hindou de haute caste, surtout d'un brahmane, n'allume le bûcher funéraire du père, il lui brise le crâne. Officiellement, pour que l'âme puisse quitter le corps ; officieusement, pour prévenir toute « récupération » intempestive !

Au Tibet, de tels crânes-coupes étaient tapissés intérieurement d'une couche d'argent ciselée de motifs rituels : un jour, j'en ai vu un magnifique dans la vitrine d'un antiquaire à Genève mais, devant le prix, j'ai reculé. Quelques jours plus tard, m'étant ravisé, j'y suis retourné : trop tard, il était vendu. Mais, en vertu du principe que, de tous les sentiments désagréables, le regret étant le plus inutile, je n'en ai pas...

Le vin doit attiser le désir et stimuler le feu de la Kundalinî, au pôle de l'Espèce, au bas de la colonne vertébrale, en rapport avec la langue. Ensemble avec l'acharya, chaque shiva saisit la coupe des deux mains et la présente à sa shakti à la hauteur de ses lèvres, en plongeant son regard dans le sien. Elle l'accepte des deux mains elle aussi, en savoure lentement la première gorgée, puis lui repasse la coupe afin qu'il boive à son tour. La coupe fera la navette entre les shivas et les shaktis, qui se fixent toujours les yeux dans les yeux, ce qui engendre un intense courant d'échange. C'est un moment très fort du rituel car chacun *sait* que le point culminant de la pûjâ est proche. (N'oublions pas que c'est le hasard qui les a réunis cette nuit-là...)

Vient alors l'union rituelle, *(Maïthuna) :* « Le dernier tattwa, ô Déesse, procure de grandes joies ; à l'origine de toutes les créatures, sans commencement ni fin, il est la racine de l'univers ». Relisons et méditons cette phrase : lapidaire, elle inclut l'essentiel de la pûjâ.

Tout le rituel tend vers le maïthuna pour rendre cette expérience aussi intense que possible, mais surtout spirituelle. Je cite Colaabavala : « Dans le tantra, après avoir éveillé l'énergie sexuelle, il faut la mettre à l'œuvre. Pour devenir énergie vitale pure, elle doit quitter son siège habituel, les organes génitaux. Ainsi l'intimité physique, née du contact sexuel, débouche sur une fusion psychique : rien n'est fait, au contraire, pour déclencher l'orgasme par des frictions génitales, mais tout vise à créer un puissant courant d'échange spirituel... L'orgasme n'est pas refusé, mais il doit se produire au niveau cérébral et non au génital, comme dans l'union profane...

» La disposition des couples tantriques n'est pas identique dans tous les rituels. Ainsi, parfois les shaktis, couchées sur le dos, bras et jambes écartés, dessinent chacune un pentacle, l'étoile flamboyante symbolique. La tête, cinquième branche du diagramme, est le plus souvent orientée vers l'intérieur du cercle, bien que l'inverse se pratique aussi. »

Enfin, la chakra pûjâ s'accompagne, à tout instant et à tout niveau, de la magie incantatoire des mantras et de leur concrétisation visuelle, les yantras, objets de chapitres spéciaux.

Si la chakra pûjâ n'est guère importable en Occident, les cinq Makaras, par contre, peuvent fort bien s'intégrer dans la pratique occidentale.

6
La maîtrise sexuelle

Orgasme au masculin

Si l'on en croit les sexologues et les psychologues, la majorité des femmes ignore l'orgasme, or la littérature sexologique a fait de l'« orgasme-à-tout-prix » un problème en laissant croire qu'un contact sans orgasme est raté. Si le tantra ignore l'obsession de l'orgasme obligatoire, proposé comme idéal au couple « moderne », néanmoins le problème de l'orgasme féminin existe. Rajneesh, référence tantrique douteuse, a cependant écrit dans son *Book of Secrets*, vol.I, p. 397 : « Voilà pourquoi les femmes sont fâchées et irritées et le resteront. Aucune méditation ne peut leur apporter la paix, aucune philosophie, ni religion, ni éthique, ne peut les mettre à l'aise avec les hommes avec lesquelles elles vivent. Elles vivent frustrées, parce que le tantra, comme la science moderne, affirme que si la femme n'est pas vraiment comblée par l'orgasme, elle créera des problèmes dans la famille. Cette privation entretiendra son irritabilité et elle sera toujours d'humeur querelleuse.

» Si votre femme est acariâtre, vous devez reconsidérer toute la situation, car ce n'est pas simplement la femme mais l'homme qui peut être en cause. Quand les femmes ne parviennent pas à l'orgasme, elles deviennent "anti-sexe" et indisponibles pour la sexualité. Pourquoi devraient-elles y être disposées si elles n'en éprouvent jamais la félicité profonde? "Après" elles ont le sentiment d'avoir été utilisées.

» La quasi-totalité des femmes n'atteignent jamais ce point culminant, cette convulsion du corps où chaque fibre de son être vibre, où chaque cellule devient vivante. Elle n'y parvient pas à cause de l'attitude antisexuelle de la société. Son mental devient querelleur et la femme ainsi réprimée devient frigide. »

Pour compléter ce tableau, je cite cette phrase terrible, extraite du *Rapport Hite :* « Oui, les femmes doivent souvent apprendre à jouir *malgré* leur partenaire, et non pas *grâce* à lui. » (p.275)

En général, on admet que le problème de l'orgasme existe, mais seulement pour la femme : l'homme éjacule, *donc* il a un orgasme. Ce « donc » est de trop !

L'éjaculation est une chose, l'orgasme une tout autre ! Si quelques sexologues modernes le savent, le public l'ignore et l'homme « normal » écarquille les yeux quand on lui dit qu'au moins 90% des mâles ignorent l'orgasme. Comme l'éjaculation et les quelques secondes qui la précèdent sont le point culminant de son expérience sexuelle, l'homme est convaincu que l'orgasme mâle, c'est ça. Au contraire, le tantra sait depuis des millénaires que c'est précisément l'éjaculation qui coupe l'homme de l'orgasme vrai, de l'extase sexuelle qui mène aux niveaux de conscience supérieurs, cosmiques. L'éjaculation stoppe net l'expérience, pour lui comme pour elle d'ailleurs. Disons-le tout net : si 90% des femmes n'éprouvent pas d'orgasme, c'est parce que 85 % des hommes sont des éjaculateurs précoces !

Définition : est un éjaculateur précoce tout homme incapable de retarder l'éjaculation au moins jusqu'à ce que sa femme soit comblée, après un ou plusieurs orgasmes. Le seul fait de retarder l'éjaculation n'implique cependant pas qu'il parvienne au véritable orgasme, même si son expérience sexuelle est intense et satisfaisante, mais c'est déjà un progrès.

L'éjaculation casse net l'ascension vers l'orgasme mâle et tue le désir, ce magnétisme enchanté qui, dans le couple, devrait être une musique d'ambiance permanente, même en dehors des contacts sexuels concrets. Avec la détumescence du lingam, ce magnétisme et la féerie de l'union shiva-shakti s'évanouissent : le couple se sépare pour se retrouver dans la banalité du quotidien, ce qui est plus que regrettable.

Le tantra promet à l'homme une puissance sexuelle illimitée, des érections aussi prolongées que sa compagne et lui-même le désirent, la capacité d'avoir deux, trois rapports sexuels par jour — ou plus, selon le tao ! — sans jamais cesser de désirer sa shakti. Ce programme le séduit... tout comme sa partenaire, mais à l'annonce du prix — renoncer à l'éjaculation —, le sourire s'efface et le nez s'allonge.

En effet, le scénario classique : baisers, caresses plus ou moins savantes, pénétration, va-et-vient, éjaculation, détumescence, nous paraît si naturel, intangible, inéluctable et le réflexe éjaculatoire venu du fond des âges est tenace. L'impulsion sexuelle s'enracine dans l'irrésistible pulsion de l'espèce qui veut survivre, donc procréer, donc éjaculer. Ce comportement, implanté dans nos gènes, est renforcé par notre éducation. Pour le tantra, sauf évidemment quand il s'agit de procréer, l'éjaculation est superflue. Néanmoins, on comprend les réticences du mâle à qui l'on propose de se déconditionner et d'éviter l'éjaculation, proclamée trouble-fête. Or, du simple point de vue de la vie en couple, sans même envisager la spiritualisation du sexe visée par le tantra, le jeu vaut bien plus que la chandelle.

Le tao, qui est en quelque sorte un tantra chinois, partage ce point de vue. Ainsi, Jolan Chang dans son *Tao de l'Art d'aimer* écrit :

« Les (anciens) taoïstes enseignaient que l'orgasme masculin et l'éjaculation n'étaient *pas* une seule et même chose. Des éjaculations plus espacées ne signifiaient en aucun cas qu'un homme était sexuellement diminué ni qu'il éprouverait moins de plaisir physique. C'est par habitude qu'on qualifie l'éjaculation de "point culminant du plaisir". Et c'est une habitude néfaste .

» On me demande souvent quel plaisir je peux ressentir si je n'éjacule qu'une fois sur cent environ. Je réponds en général ceci : "Je n'échangerais certainement pas le plaisir intense que j'éprouve contre le type de plaisir qui est le vôtre. Les douze années pendant lesquelles je m'en suis tenu à ce plaisir lié à l'instant de l'éjaculation sont pour moi autant de longues années gaspillées !" Si mon interlocuteur est un homme, il ne peut mettre en doute ma sincérité ; il me voit paisible, heureux, en bonne santé, et aimant indiscutablement à faire l'amour. S'agit-il d'une femme, et si elle regrette — pour moi — mon attitude au début de nos relations, mon ardeur lui ôte vite le moindre doute quant à l'intensité du plaisir que je ressens avec elle. Il lui suffira de quelques heures pour constater qu'elle expérimente une façon d'aimer totalement nouvelle, et elle se rendra probablement compte que jamais les rapports amoureux ne lui ont procuré une telle jouissance. En fait, beaucoup de femmes ont eu la générosité de reconnaître avoir jusque là ignoré que l'acte sexuel pouvait leur apporter une joie aussi profonde. (p.29)

» Ainsi, pendant douze ans je me suis contenté d'éjaculer — ou de me masturber dans un vagin (car c'est ainsi que je vois les choses aujourd'hui). [...] Je peux dire maintenant que l'acte sexuel sans éjaculation représente lui aussi le relâchement d'une tension, mais sans explosion. C'est un plaisir qui se traduit par un apaisement et non par de la violence, une fusion voluptueuse, sensuelle et prolongée dans quelque chose de plus vaste et de plus transcendant que le soi. C'est un sentiment de communion en un tout, non une séparation ; d'union étroite et de partage, et non un spasme individuel et solitaire excluant l'autre partenaire. Aucun mot ne saurait l'exprimer.» (p.31-32)

Toutefois, avant d'aborder la pratique, précisons qu'il ne s'agit nullement d'un renoncement immédiat, total et définitif, à l'éjaculation. Cela se fait par étapes progressives.

Le raisonnement suivant a persuadé bon nombre de couples à tenter un essai loyal.

Primo, le potentiel sexuel mâle est très variable, allant d'un rapport par semaine (le dimanche matin à huit heures et quart ?), à des contacts quotidiens, mais il est forcément limité. La femme, par contre, a un potentiel sexuel illimité.

Secundo : chez l'homme, tant qu'il y a désir, la physiologie ne limite ni le nombre, ni la durée des érections. Ne pas éjaculer préserve le sperme et entretient le désir, maintient le pouvoir d'érection intact et permet des contacts sexuels illimités en nombre et en durée.

Donc : tout rapport sexuel sans éjaculation est du « bénéfice érotique net » pour le couple ! Plus l'homme économise ses « munitions » éjaculatoires, plus son potentiel de désir et sa puissance sexuelle se haussent au niveau féminin et cet équilibre est un facteur d'harmonie pour le couple.

Alors, pourquoi ne pas essayer ?

Bien sûr, je sais que nous volons au ras des pâquerettes, au niveau de la « simple » jouissance sexuelle mais avant de vouloir la dépasser, il faut d'abord l'atteindre !

Dans l'expérience ordinaire, les *dernières secondes* avant l'unique mouvement « de trop » qui déclenche le spasme éjaculatoire constituent la zone maximum de félicité mâle. Puis survient le spasme qui fait tout basculer, à la déception du couple. Or, la brève jouissance éjaculatoire est déjà moindre que celle du point-limite. La solution tantrique est d'une géniale simplicité : prolonger la frange ultime, la plus intense et la plus intéressante et, pour cela, inhiber le spasme.

L'art suprême, pour un shiva tantrique, consiste à rester indéfiniment au point-limite, ce qui lui donne accès au « paradis sexuel cérébral » et au véritable orgasme mâle. L'expérience du couple n'est plus limitée ni interrompue par la défaillance mâle. Le tantra offre cette expérience à tous les couples, car ce n'est pas une acrobatie sexuelle. Cela permet d'aller du génital pur au sexuel, puis au spirituel.

Au point-limite, le shiva débutant doit encore s'immobiliser — ainsi que la shakti — pour éviter l'éjaculation, car cette frange est aussi mince que le « fil du rasoir ». Seul un tantrique expérimenté peut, après une longue pratique, rester totalement actif au point-limite, sans déraper. Hélas, même en Inde, ils sont rares ! Néanmoins, tout homme peut, avec un rien de pratique et la complicité de la shakti, rester de plus en plus longtemps en équilibre sur le « fil du rasoir ». Au point-limite, son immobilité du début devient vite relative : de légers va-et-vient deviennent possibles qui, progressivement, se font plus amples sans basculer dans le spasme. C'est une question de relaxation, de respiration, d'intériorisation, mais aussi d'exercice et pour cela, je vous renvoie aux chapitres sur le contrôle de l'éjaculation.

L'érection, ses secrets, ses problèmes

La survie de l'humanité dépend... de l'érection ! Si le pénis restait mou, l'ovule attendrait en vain le gamète mâle fécondant. Ainsi, depuis Adam, que l'idée plaise ou non, notre vie à tous part d'un pénis dressé...

Cette précieuse érection, dont l'homme ne se soucie que lorsqu'elle l'abandonne, semble aussi simple et banale que de gonfler une baudruche. Or, chez l'homme — et le singe ! — l'« hydraulique » de l'érection est ultrasophistiquée. Pour d'autres mammifères, la nature a souvent choisi la simplicité et la sécurité. L'os pénien, dont elle pourvoit certains mâles, est une garantie contre les aléas de l'érection : raideur assurée ! Inconvénient : un os, ça se casse, un pénis en érection, jamais. Le mâle de la loutre (pourquoi ne pas dire « le » loutre ?) est un amoureux si fougueux qu'il se le casse plusieurs fois dans sa vie ! Une chance, ça se répare tout seul. L'os du mini-pénis de l'écureuil est pointu comme un clou. Le champion, c'est « le » baleine : deux mètres ! Le morse, quatre-vingt centimètres « seulement ». Le chien, l'ours et le loup ont, eux aussi, un os pénien.

Paradoxe : l'homme, qui préférerait souvent qu'on lui coupe un membre plutôt que *le* membre, en ignore superbement la structure. Quant à l'érection, ce n'est que récemment qu'on en a élucidé le mécanisme avec sa complexité. A propos, pourquoi la littérature de vulgarisation sexuelle, si prolixe au sujet de l'appareil génital féminin, est-elle si peu loquace au sujet du pénis ? Est-ce parce qu'on peut l'examiner et le toucher à loisir qu'il paraît sans mystère ?

Ignorer la structure de la verge est un luxe que seul peut s'octroyer celui qui n'a aucun problème d'érection, ni l'ambition de maîtriser l'éjaculation : le tantrique se doit de savoir comment « ça » fonctionne. En écrivant *tantrique* je pense aussi à la yoginî : comment peut-elle collaborer intelligemment au processus en ignorant les règles du jeu ?

Sans étudier au détail près la physiologie du lingam, ayons-en une vision schématique mais correcte. Tant d'hommes ignorent que leur membre ressemble à un matelas de plage gonflable formé de trois boudins séparés. Mais, alors que dans le matelas ils sont côte à côte, dans le lingam ils sont groupés en faisceau.

Le cylindre central, le « corps spongieux », traversé par l'urètre, joue un rôle essentiel dans l'éjaculation. Il se termine au gland, la partie la plus sensible du pénis. Le corps spongieux est flanqué de deux boudins gonflables, les corps caverneux, grands responsables de l'érection. Au bulbe, la racine du pénis s'appuie sur une base osseuse, juste devant l'anus, sans quoi la verge durcie ballotterait mollement.

De plus, le pénis est musclé ! Les muscles enserrant sa base sont puissants (voir le chapitre consacré au contrôle de l'éjaculation), et ce sont leurs contractions spasmodiques qui produisent la trop brève volupté de l'éjaculation. Emballons le tout dans un manchon de peau élastique, coriace, et voilà le pénis !

Exposé, bien visible, il paraît si vulnérable et fragile et pourtant il résiste aux pires sévices et est rarement blessé. Personne n'ayant envie d'essayer pour contrôler, on croira sur parole le chirurgien qui nous dit que, même au couteau, on le sectionne difficilement : il esquive la lame comme une anguille ! S'il a été amputé en partie, on remet tout en place, on fait quelques points de suture dans la peau, puis on laisse Monsieur se réparer tout seul, ce qu'il fait fort bien !

Trois boudins gonflables, plus des muscles, le tout dans un emballage en peau : pas compliqué tout de même ! Et l'érection ? Guère plus complexe, en apparence : on gonfle les boudins et voilà l'organe bandé, prêt à l'action. Simple ! Mais voilà, la nature s'amuse à tout compliquer jusqu'à ce qu'à force de sophistication, tout redevienne simple.

En effet, l'hydraulique érectile implique des millions (!) de valves pour régler le débit et la pression du sang dans la verge. L'orchestration nerveuse de ce phénomène est une merveille de programmation qu'aucun système d'irrigation construit par l'homme n'atteindra jamais .

A propos de pression sanguine, on croirait qu'à l'état flaccide la pression sanguine égale celle du reste du corps et que l'érection vient d'une sur-pression locale, comme un pneu gonflé. Pas du tout : c'est seulement pendant l'érection que la pression dans la verge atteint celle du corps ! Détail ? Peut-être, mais pour l'avoir ignoré, tous ceux qui ont cru guérir l'impuissance en étranglant la racine du pénis avec des anneaux, par exemple, pour y enfermer le sang, ont été déçus : le pénis gonfle un peu, bleuit, noircit même, mais reste piteusement mollasse.

Donc, au repos, l'entrée du sang dans le pénis est freinée, mais pour le raidir, ces millions de valves doivent s'ouvrir toutes grandes. Très important : puisque l'érection vient d'une *détente* des valves qui règlent l'afflux de sang dans le lingam, le stress et les tensions nerveuses — la crainte d'un échec, par exemple — l'inhiberont. Seule la *relaxation* permet l'afflux de sang qui durcit la verge, relaxation qui doit subsister tout le temps de l'érection. Les impuissants, ou supposés tels (heureusement l'immense majorité), sont tous plus ou moins anxieux. Pour guérir, ils doivent se relaxer et pratiquer la respiration lente, profonde.

Mais, provoquer l'érection est une chose, la conserver en est une autre et cela dépend d'une double régulation qui complique tout.

Pour le pneu, *une* valve suffit : quand la sur-pression est atteinte, on enferme l'air. Mais imaginons un pneu à deux valves : l'une qui permet l'entrée d'air comprimé, tandis que l'autre en laisse échapper. La pression constante dépendra du jeu précis des deux valves, sinon le pneu se *dé*gonflerait ou se *sur*gonflerait. Ce réglage ultraprécis, l'Intelligence supérieure du corps l'assure pour les millions de valves et à l'insu de l'heureux propriétaire du pénis bandé ! Dans le pneu, il est normal que l'air y stagne pendant des mois mais dans le lingam, et surtout pendant l'érection, le sang artériel nourricier doit se faufiler dans tous les méandres de l'éponge pénienne tandis que le sang veineux, chargé de déchets, doit en être évacué. Ainsi, quand la pression voulue est atteinte, conserver l'érection exige un équilibre précis entre le volume de sang qui entre dans le membre et qui en sort.

Dans le maïthuna tantrique

L'union tantrique, elle, requiert deux conditions, apparemment contradictoires :
— d'une part, une érection puissante et prolongée à volonté, ce qui suppose une forte stimulation érotique,
— d'autre part, éviter que son intensité même ne fasse éjaculer.

Pour apprendre à concilier les deux, retenons que le jeu sexuel dépend de trois groupes nerveux bien distincts :
— l'un maintient la liaison sensorimotrice entre le sexe et le cerveau, donc le mental, notre principal organe sexuel ;
— l'autre, le *parasympathique*, provoque et entretient l'érection ;
— enfin, le *sympathique* responsable de l'éjaculation.

Avant les conclusions tantriques, distinguons : a) les érections nocturnes (ou matinales, constatées au réveil), d'origine purement réflexe, donc sans excitation érotique, même onirique ; b) les érections d'origine érotique : la nuit, un rêve sexuel, le jour, une situation sensuelle concrète ou imaginée, avec ou sans stimulation directe du lingam.

Les érections du type a) fort appréciées des vieux couples où le mari est en baisse de régime, intéressent aussi les faux impuissants qui, à tort dans la plupart des cas, attribuent leur méforme à quelque obscur défaut *physiologique*. Or, sauf rarissime exception, chaque nuit, chaque homme, même soi-disant « impuissant », a au moins cinq érections « pleine forme » d'une demi-heure chacune et cela pratiquement du berceau à la tombe ! . . .

Des chercheurs allemands, cités par le docteur Sherman J. Silber dans *The Male*, ont observé de nombreux hommes endormis et ont établi que leur pénis (celui des dormeurs, pas des docteurs !) bandait pendant 25 minutes toutes les 84 minutes (sic), et toujours pendant une phase REM *(Rapid Eye Movements)*, donc pendant un rêve. Si on réveille alors le sujet, il se souvient fort bien de son rêve : on sait ainsi que ces érections nocturnes sont sans rapport avec le contenu du rêve qui, le plus souvent, n'est même pas érotique. Ainsi, en bonne arithmétique érectile, à 75 ans, chaque pénis aura soulevé les draps de lit pendant quelque 33.000 heures ! Soit 4 ans, 4 mois, 4 semaines, sans compter les années bissextiles !

Sachant que l'érection dépend du *parasympathique,* celui-là même qui ralentit le souffle et les battements du cœur, dilate les vaisseaux, etc. (alors que l'éjaculation dépend du sympathique), on voit que l'impuissance et l'éjaculation précoce ont un point commun : *la surexcitation du sympathique,* due à l'anxiété.

Voici une situation classique. L'homme rencontre pour la première fois une nouvelle partenaire très désirée. Il pense, avec appréhension : « Pourvu que je sois en forme... ». Redouter un échec humiliant surexcite son sympathique : résultat, son cœur bat la chamade, son souffle est court, rapide, ce qui inhibe l'action de son antagoniste, le *para*sympathique, qui devrait assurer l'érection. Alors, « malgré » tous les efforts du séducteur déconfit, côté forme ce sera zéro ! Ou, au contraire, surexcité, il éjaculera avant même l'intromission !

La femme expérimentée peut sauver la situation en calmant le jeu, en rassurant, en relaxant son partenaire humilié et dépité. Une fois le sympathique apaisé, notamment par la respiration abdominale lente et profonde, le parasympathique prendra le relais et, avec les vannes de l'érection ouvrira la porte du paradis sensuel. Sinon, dommage, c'est loupé, du moins pour ce soir ! Tout comme pour cette méforme accidentelle, sans conséquences, la majorité des impuissances est d'origine psychique et quand l'anxiété devient chronique chaque raté aggrave le cercle vicieux.

Venons-en maintenant à l'éjaculation. Précoce ou non, elle dépend du sympathique qui, vers le point-limite, avertit les glandes séminales, situées juste derrière la prostate, de se préparer à expulser le sperme accumulé pendant l'excitation sexuelle. Un mouvement de plus (de trop, diraient les tantriques) et le sympathique fera se contracter puissamment les muscles à la base du pénis, déclenchant ainsi l'éjaculation, processus irréversible, que rien ne peut stopper, et qui est une autre merveille de synchronisation nerveuse.

Conclusion tantrique : pour corriger l'impuissance, il faut *apaiser* le sympathique ; pour contrôler l'érection, tout comme pour empêcher l'éjaculation, précoce ou non, il faut *stimuler* le parasympathique.

Comment faire en pratique ? Pour activer le parasympathique, il faut contrôler le souffle, en rester conscient, respirer lentement, profondément, « dans le ventre ». L'expiration, elle, sera un soupir ralenti, confidentiel, qui entretient l'ambiance « relax ». Ce régime respiratoire s'établit dès le prélude et s'entretient pendant tout le rapport. Le shiva s'observe, reste calme, serein, ne laisse pas son « moteur » sexuel s'emballer. Sa récompense : une érection inoxydable, une éjaculation retardée, une shakti comblée. Pour éviter d'éjaculer, voir les techniques décrites au chapitre ad hoc.

De plus, toujours pour éviter que le sympathique ne prenne le mors aux dents, il est capital que ses mouvements coïtaux soient harmonieux, qu'ils épousent le rythme de sa partenaire, comme en dansant, qu'il garde le corps souple et détendu. Pas de mouvements saccadés ou, pire, semi-hystériques. Sourire aussi : pourquoi grimacer ou se crisper dans l'union, même ordinaire ?

Enfin, loin de perdre en efficacité avec l'âge, le shiva tantrique gagne, au contraire, en puissance et en endurance : économiser le sperme alimente le désir, donc la forme. Il ignore l'érosion progressive de la puissance sexuelle qui inquiète déjà le non-tantrique dès la quarantaine, quand il constate que les érections-éclair des vertes années sont du passé. Le jeune mâle compense ses éjaculations rapides en « remettant ça » au plus tôt. A cet âge, le temps réfractaire, c'est-à-dire l'attente entre deux rapports, n'est souvent que de quelques minutes ; plus tard, cela devient plusieurs heures.

Mais, en compensation, les ans apportent à chacun, même non-tantrique, une maturité sexuelle qui en fait un partenaire apprécié. L'érection-éclair du passé est-elle si désirable ? L'amant poivre et sel qui attend peut-être un peu la forme, la conserve, par contre, incomparablement plus longtemps, même sans technique tantrique spécifique. Plus d'une jeune femme, pleine de fougue et de désir, le préférera à tel jeune coq surexcité et maladroit qui a fini... avant d'avoir vraiment commencé.

Revenons un instant sur cette érosion de la sexualité qui s'installe insidieusement avec l'âge. La cause ? C'est le gaspillage inconsidéré du sperme qui produit fatalement, au fil des ans, une baisse de régime. Au contraire, éjaculer rarement préserve la virilité. Les éjaculations beaucoup trop fréquentes de l'homme ordinaire abrègent ses « orgasmes », rendent son jet de sperme chiche et faiblard, alors qu'à vingt ans, à l'air libre, il aurait pu gicler à un demi-mètre ! Maintenant, aussitôt après avoir éjaculé, c'est la débandade accélérée !

Pour éviter cela, il n'y a pas trente-six solutions. On y remédie, non pas en rognant l'activité sexuelle, mais en économisant le sperme. En effet, la nature n'a pas prévu cette prodigalité spermatique. Bien sûr, l'homme en tant qu'animal sexuel est une exception et on ne peut guère le comparer aux autres mammifères. Constatons toutefois que les animaux sauvages ne s'accouplent que pendant la brève saison des amours prévue par la nature au moment le plus favorable à la survie des jeunes qui naîtront. En dehors des périodes de rut, les mâles restent des mois sans copuler ni éjaculer, alors que souvent l'homme ordinaire éjacule plusieurs fois par semaine, parfois même tous les jours !

Alors, trop, c'est trop et cela explique l'effritement progressif du tonus sexuel. Le tantra et le tao affirment que le gaspillage du sperme draine la vitalité et cause la sénilité prématurée. La rétention séminale, au contraire, permet une vie sexuelle très

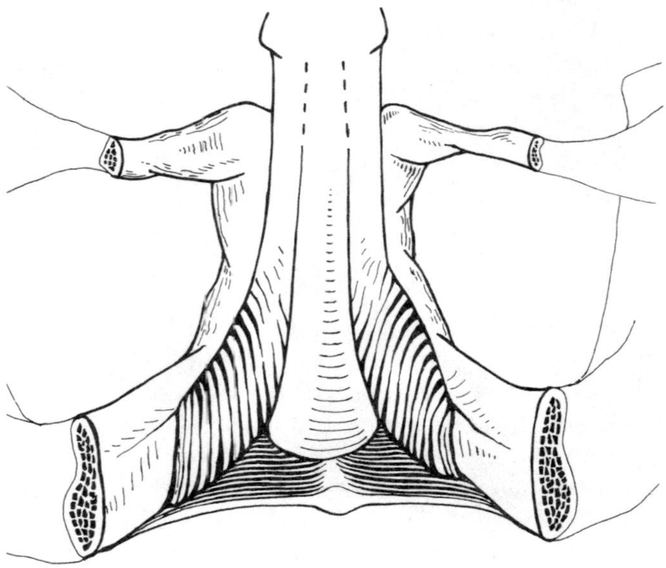

Cette illustration montre les muscles puissants qui enserrent la base de l'organe mâle et qui peuvent, comme n'importe quels autres muscles, être fortifiés par l'exercice.

Ce sont eux qui permettent le « langage secret » du tantra, où les contractions rythmées du yoni et du lingam se répondent mutuellement dans l'immobilité. D'autre part, comme la musculature pelvienne et génitale de la femme et de l'homme sont, anatomiquement, très semblables, les exercices de pratique du contrôle vaginal, décrits dans le chapitre « Muscler le yoni », s'appliquent aussi aux adeptes mâles, lesquels s'y reporteront

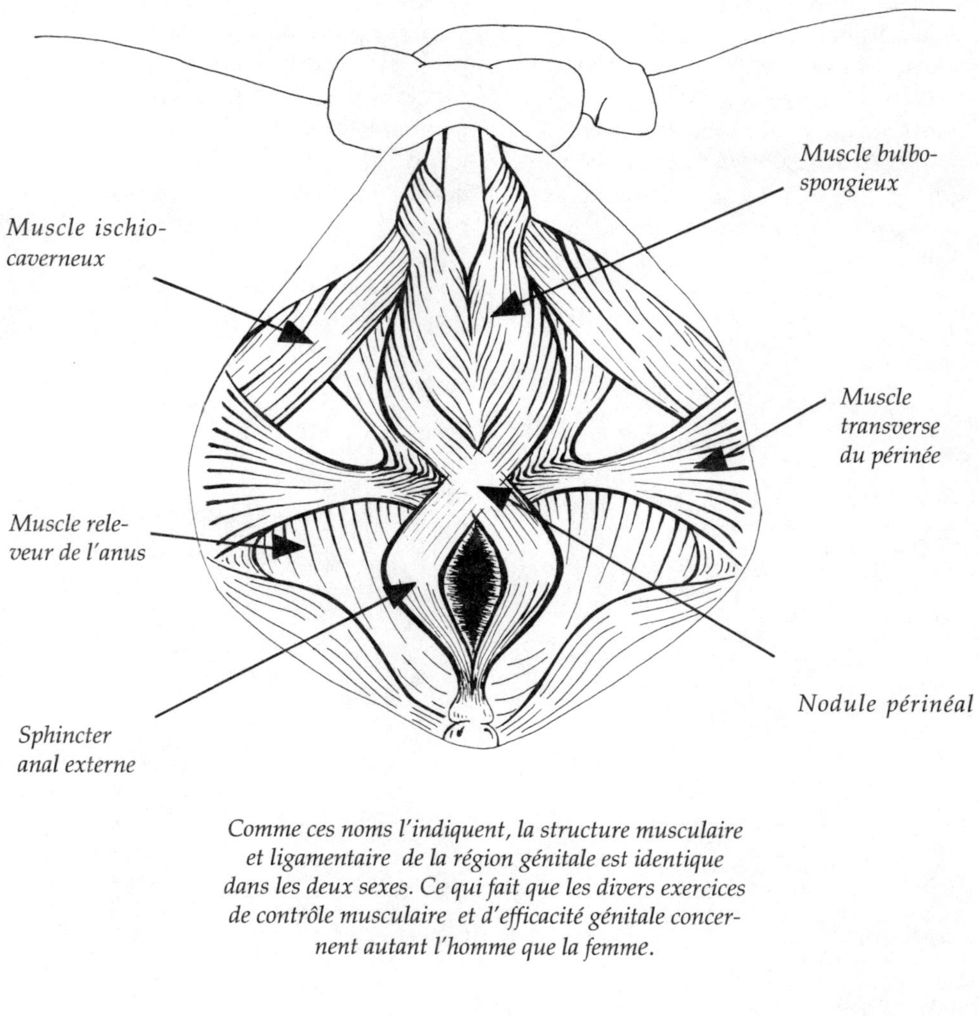

Comme ces noms l'indiquent, la structure musculaire et ligamentaire de la région génitale est identique dans les deux sexes. Ce qui fait que les divers exercices de contrôle musculaire et d'efficacité génitale concernent autant l'homme que la femme.

riche, jusqu'à plusieurs contacts par jour, et préserve, en plus, l'étonnante juvénilité biologique de ses adeptes. D'ailleurs, il suffit que l'homme en « perte de vitesse » évite d'éjaculer pendant une semaine ou deux pour voir son tonus sexuel se rétablir spectaculairement.

On objecte parfois que les testicules produisent des spermatozoïdes en continu, quel que soit le nombre des éjaculations. C'est vrai. Toutefois, quand elles sont trop rapprochées, les spermatozoïdes sont bien moins nombreux et surtout on trouve dans le sperme beaucoup de gamètes immatures, signe que les testicules, soumis une production anormale, se surmènent. D'ailleurs, le solide empirisme millénaire du tantra et du tao prouve l'intérêt, à tous points de vue, d'éjaculer le moins souvent possible.

Enfin, pour rassurer tout le monde, sachons que la rétention séminale, même totale, est sans risque, le corps trouvant toujours le moyen d'évacuer un éventuel trop-plein de sperme, au besoin pendant un rêve érotique. C'est ce qu'on appelait, en son temps, une « pollution nocturne »...

L'érection, pilier du Tantra

La puissance et la durée des érections étalonnent la virilité : l'homme « inbandable » est déclaré impuissant, quel que soit son périmètre thoracique et l'ampleur de ses biceps. Quant à l'endurance, le tantra qualifie d'éjaculateur précoce tout homme incapable de se retenir au moins jusqu'à l'extase de sa partenaire. Si un homme sait se contrôler, il sera proclamé viril, mais sans plus car le tantra requiert la maîtrise totale de l'éjaculation, laquelle stoppe net l'expérience tantrique en mettant les batteries sexuelles mâles à plat. Cela empêche le shiva d'accéder à l'orgasme total de type féminin et laisse la shakti en rade.

Or, la pratique de certains exercices assure des érections bien plus puissantes que chez le non-initié, même normalement viril, et, en plus, le lingam peut rester dressé des heures durant sans faiblir. Moyennant quoi le potentiel sexuel mâle n'est plus limité et, loin d'épuiser son énergie physique ou psychique, l'érection les exalte.

L'érection est donc le pilier qui supporte toute expérience sexuelle mâle et féminine, profane ou tantrique : ni l'impuissant, ni l'éjaculateur précoce ne peuvent prétendre transmuer l'union sexuelle en expérience spirituelle. Heureusement, les deux sont remédiables et les exercices décrits dans ce chapitre gratifieront l'adepte d'un potentiel érectile illimité, ce qui élimine tant l'impuissance que l'éjaculation précoce.

Nous l'avons vu, l'érection est une merveille d'ingénierie biologique. Or, quand elle survient l'homme a d'autres soucis que de s'en extasier et plus encore... quand elle ne vient pas ! Mais, avant de voir les exercices pratiques annoncés et pour mieux les comprendre, consacrons deux minutes à résumer l'essentiel de la physiologie de l'érection, décrite en détail dans les pages précédentes.

Souvenons-nous : pendant l'excitation sexuelle, les nerfs génitaux *relaxent* les valves des tissus spongieux du corps caverneux, les ouvrant ainsi à l'afflux sanguin : le pénis flaccide relève la tête. A retenir : *l'érection commence par une relaxation* ! Même sans excitation érotique, des facteurs purement physiologiques peuvent la produire : c'est le cas classique de l'érection matinale due à une vessie remplie.

Toutefois, la majorité des érections vient d'une stimulation cérébrale, donc elle dépend du psychisme. Conclusion : la presque totalité des impuissances ont une cause psychique et non physiologique, quoique des excès sexuels avec éjaculations trop fréquentes puissent entraînent une impuissance passagère, un « passage à vide » : un jeûne sexuel plus ou moins prolongé renormalise la situation. Chez l'homme qui n'éjacule pas, ou rarement, les contacts sexuels fréquents n'affectent ni son potentiel sexuel, ni sa vitalité, au contraire !

Quand le lingam se dresse parce que gorgé de sang, celui-ci est *retenu* dans l'organe par la contraction des muscles compresseurs et éjaculateurs qui entretiennent ainsi l'érection. Après l'éjaculation, ils se relaxent, le sang s'écoule et le lingam redevient mou.

Et maintenant, parlons muscles, car le lingam est musclé ! Les muscles bulbo-caverneux ramènent le pénis raidi près du corps en l'attirant vers l'avant et vers le haut. Plus ils seront puissants, plus fièrement le lingam se dressera, mais aussi — fait capital — en l'enserrant à sa base, ils contribueront à retenir le sang dans l'organe, ce qui entretient l'érection.

Le tantra veut fortifier ces trois types de muscles érecteurs : le compresseur de l'urètre, les transverses du périnée, plus les bulbo-caverneux et je suggère de jeter un coup d'œil sur les illustrations. Quant aux muscles, il n'y a ni miracle, ni mystère : le (seul !) moyen infaillible de les fortifier, c'est l'exercice ! Déjà les contacts sexuels tantriques, fréquents et prolongés, les tonifient remarquablement, même sans exercices spéciaux.

Ce fait, à lui seul, explique déjà pourquoi, chez le tantrique, loin d'affaiblir sa vigueur sexuelle — et sa vigueur tout court — les années l'augmentent : sa virilité reste intacte même à un âge avancé et il doit son étonnante juvénilité notamment aux hormones sécrétées par ses glandes génitales.

Un autre résultat, inattendu, incroyable même : le développement du lingam. Depuis que l'homme est homme, sous toutes les latitudes, il s'ingénie à inventer trucs et bidules pour augmenter la taille du membre viril, la plupart résolument inefficaces ou, au mieux, d'un effet passager. Parmi ceux-ci, citons un appareil controversé, basé sur le principe de la ventouse, composé d'un cylindre où l'on introduit le pénis et d'une poire en caoutchouc qui y fait un vide d'air relatif, ce qui attire du sang dans l'organe comme une ventouse, donc les capillaires se dilatent. Le membre s'allonge et se gonfle au-delà de sa taille usuelle mais, hélas ! ce gain ne subsiste guère. Dans la controverse, on trouve d'un côté les vendeurs de ces appareils, dont l'usage n'est pas anodin, qui assurent qu'en persévérant l'effet devient durable, de l'autre la physiologie qui prétend que le pénis ne peut dépasser la taille acquise à l'âge adulte. Alors, qui croire ? J'accepte l'opinion du physiologiste sur l'immuabilité de la taille du pénis, avec un correctif cependant. En effet, même avec une érection intense, la brièveté des contacts sexuels ordinaires ne laisse *pas le temps voulu* aux capillaires du pénis d'atteindre leur distension physiologique maximum. Le gadget cité les dilate mécaniquement, avec le risque de dépasser les limites, donc de provoquer des lésions. Par contre, des érections puissantes, prolongées et fréquentes assouplissent les capillaires et les ouvrent, grâce à quoi le lingam atteint sa vraie taille. Conclusion, chez la plupart des hommes, le pénis en érection demeure en-dessous de sa taille réelle possible ! Les tantriques obtiennent le résultat maximum sans succion mécanique externe, par la seule pression interne et physiologique du sang dans les capillaires, donc sans danger.

Un autre facteur de développement, réel et durable celui-là, qu'aucune autre méthode ne procure : fortifier, par l'exercice, les muscles gainant la base du lingam.

Mais revenons un instant à la taille du pénis. Des textes tantriques citent des longueurs de 25 à 30 cm, de quoi effrayer ou... faire rêver les shaktis ! Le physiologiste, en haussant les épaules, dira que la norme, pour un pénis en érection, va de 15 à 18 cm et que 30 centimètres c'est de la vantardise. Alors, les tantriques sont-ils « surdoués » ou menteurs ? Ni l'un ni l'autre : il suffit de définir où commence le lingam ! Alors que nous le mesurons à partir du pubis, les tantriques partent de sa *racine* (le *muladhara chakra*, le chakra racine) au bulbe périnéen, donc juste devant l'anus. Distinction futile ? Non. Pendant l'union sexuelle, prendre conscience du lingam sur toute sa longueur, depuis sa racine jusqu'au bout du gland, change bien des choses, croyez-le : contrôlez-le à votre prochain contact !

Les exercices

Les objectifs : a) prendre conscience du complexe musculaire génital dans son ensemble, b) le fortifier, c) isoler et contracter séparément ces muscles.

En comparant les muscles génitaux des deux sexes, on voit qu'en dépit des apparences, ils sont très semblables et, en fait, homologues : on retrouve les mêmes muscles avec les mêmes noms ! Il est donc normal et logique de conseiller à peu près les mêmes exercices au shiva comme à la shakti.

Le mula bandha

La pratique de base est *mula bandha*. Comme les muscles de l'anus (sphincters externe et interne, plus le releveur de l'anus) sont solidaires, grâce à mula bandha, pendant les contractions on perçoit qu'on déborde de la zone anale et qu'on implique tous les muscles du lingam : on sent même bouger le coccyx ! En semi-érection, on peut *voir* l'effet de cette contraction : les releveurs redressent le lingam par saccades. En érection complète, c'est pareil mais moins visible. Grâce à ces muscles, le lingam peut répondre aux contractions rythmiques du yoni et ce « langage secret » apporte au couple des sensations voluptueuses nouvelles qui intensifient l'érection, sans risque d'éjaculation intempestive.

Mula bandha se pratique n'importe

où, n'importe quand, dans n'importe quelle position : assis, couché, debout, voire même en shirsâsana, donc sur la tête ! Bien des yogis profitent d'ailleurs de leur séance d'âsanas quotidienne pour pratiquer mula bandha. Au début, comme pour la femme, tout le complexe musculaire réagit en bloc. Puis, par l'intériorisation et la pratique persévérante, on parvient — objectif important — à dissocier les muscles du lingam de ceux de l'anus et du rectum.

On isolera et contractera séparément chacun de ces muscles, puis on les *relaxera* à volonté. Ici, la pratique du shiva diffère de celle de la shakti qui n'a pas à inhiber l'éjaculation : elle se contente de développer et de contrôler sa musculature vaginale.

Le shiva pratiquera les mêmes exercices que ceux destinés au contrôle vaginal, donc je le renvoie au chapitre ad hoc, y compris le hoola hoop, car l'homme a, lui aussi, besoin d'un bassin très mobile.

Le shiva doit donc être capable de détendre ces mêmes muscles *vite et à fond*. En effet, si on s'observe lors d'une éjaculation, on sent que le spasme se propage aux muscles éjaculateurs (cf. les mécanismes de l'éjaculation), ce qui aide à les situer. Un des procédés pour inhiber l'éjaculation consiste, à l'approche du point-limite, à relaxer aussitôt ces muscles.

Pratique : effectuez d'abord les exercices destinés à fortifier puis à isoler les muscles de l'anus, du périnée et du pénis par les exercices décrits page 404 et suivantes, puis il faudra apprendre à les *relaxer* dans toutes les positions : debout, assis, couché ou dans une âsana yogique.

Pour cela, dirigez votre pensée calme et détendue vers la zone génitale puis, en respirant lentement et profondément, relaxez à fond les sphincters et le releveur de l'anus, ensuite le transverse du périnée, enfin les ischio-caverneux et le bulbe. Accordez-vous le temps voulu pour les relaxer *complètement*. Plus tard, exercez-vous à les détendre de plus en plus vite pour pouvoir, dans le maïthuna, les relaxer presque instantanément à l'approche du point-limite et éviter ainsi une éjaculation inopportune.

Voici un autre procédé pour contrôler la musculature ano-pénienne. C'est très simple : en allant à la selle, apprenez à dissocier deux opérations, c'est-à-dire n'urinez pas en même temps que vous évacuez les selles. Au début, c'est difficile mais bien vite on y parvient aisément. Ceci fait prendre conscience des muscles, en partie communs, qui commandent l'urètre et ceux régissant l'éjaculation, pour parvenir ensuite à les contrôler.

Ces procédés sont à la portée de chacun et prennent fort peu de temps puisqu'ils peuvent se pratiquer à des moments perdus, en toute discrétion, même en public.

Autre exercice de contrôle

Voici un procédé supplémentaire pour inhiber l'éjaculation. Le chapitre consacré aux muscles du scrotum décrit notamment le dartos et le crémaster, notre suspensoir naturel. Ces muscles sont peu connus : la plupart des hommes considèrent leurs bourses comme de simples sacs de peau. Or, le crémaster — du grec *kremastêr* = suspenseur — enveloppe les testicules, mais sa fonction dépasse de loin le rôle de soutien que l'étymologie lui prête. En effet, en se contractant, il soulève les testicules et les rapproche du corps, notamment pour les réchauffer, contribuant ainsi à leur thermorégulation, capitale pour la spermatogénèse, donc pour la survie de l'espèce.

A l'approche du point-limite, il attire les testicules vers le haut, les accolle au lingam et place ainsi les conduits spermatiques en position d'éjaculation. Il « arme » en quelque sorte le lingam comme un pistolet prêt à faire feu ! Ces muscles travaillent ordinairement sans intervention consciente, mais il n'est pas difficile de les percevoir et de les contrôler. Le processus est classique : d'abord, on s'y intériorise, ensuite, quand on situe bien ces muscles, on peut alternativement les contracter ou, au contraire, les relâcher. On profitera des temps morts dans sa journée (arrêt devant un feu rouge, par exemple...) pour penser à la zone intéressée puis, peu à peu, on y découvre des sensations, ensuite on *imagine* ces muscles se contractant ou se détendant. Au début, il se passe peu de chose, mais bientôt des signes encourageants viendront. Avec un peu de pratique, on peut remonter ou abaisser ses bourses à volonté !

Même si, faute de temps, on ne s'exerce pas, rien ne vous empêche d'utiliser cette technique de contrôle dans le maïthuna.

Appliquons cela à la méditation à deux, et notamment à la voie abrupte où le shiva flirte en permanence avec le point de non-retour, donc où les testicules restent longtemps en position « armée » pour l'éjaculation. En cas d'alerte au dérapage, en plus des techniques de contrôle respiratoire et musculaire indiquées, on s'intériorise dans les bourses et on relaxe le crémaster : dès que les testicules quittent, même de très peu, la position d'éjaculation, celle-ci devient d'autant plus improbable. Au début, ce n'est possible qu'immobile mais, avec un peu de pratique, on y parvient même pendant les va-et-vient rythmés. Ce procédé, fort efficace, reste très secret.

Une remarque importante : au début de la pratique du tantra, après un maïthuna d'une heure ou deux sans éjaculation, il *est normal que les testicules restent congestionnés,* lourds et presque douloureux pendant une heure, par exemple. C'est désagréable, sans plus, et dû notamment au fait que les muscles des bourses peuvent, eux aussi, se fatiguer voire... se courbaturer : inattendu, mais vrai ! Non prévenus, des hommes, croyant à une anomalie, s'inquiètent. Rassurez-vous, c'est anodin à 100% et même un signe de progrès dans la bonne voie. C'est un droit d'entrée à acquitter ! Bientôt les muscles se fortifient et la congestion s'atténue puis disparaît : c'est l'affaire de quelques jours. Mais si on s'en trouvait gêné, le remède est simple : il suffit de se doucher les bourses à l'eau modérément chaude.

Les bourses et la vie !

En plus de la puissance des érections et de leur durée, un autre indice caractérise la vitalité mâle : l'aspect et la tenue du scrotum : jetez un coup d'œil sur les bourses et vous serez fixé ! Si la peau est lisse et flasque, si les testicules sont enflés et pendouillent dans un « sac » lâche, pas de doute, le sujet est débile ou sénile, ou les deux. Par contre, si elle est plissée, rugueuse comme une écorce d'arbre, si les testicules sont bien accolés à la base du lingam, le propriétaire de tels attributs est jeune, robuste et viril, quel que soit son âge d'ailleurs.

Alors, connaissez-vous le dartos ? Rien à voir avec un cinquième mousquetaire : ce muscle viril est peu connu. En effet, même chez un homme jeune et robuste, les bourses peuvent être relâchées à cause de la chaleur ambiante. Or, le dartos, muscle tout mince, situé juste sous la peau des bourses est, en grande partie, responsable de leur tenue et de l'état des testicules, organes si essentiels pour l'homme : l'Eglise n'accorde pas la prêtrise aux eunuques. S'il fait trop chaud, le dartos se relâche et les bourses descendent. Nos testicules, messieurs, se conservent le mieux au frais, voire au froid ! Ne vous méprenez pas au ton badin de ce texte : c'est très sérieux.

Mais alors pourquoi donc ces organes vitaux sont-ils placés dans une position aussi vulnérable, hors du ventre, exposés aux chocs et aux intempéries, au lieu d'être nichés bien au chaud et en sécurité dans le ventre ? Il s'agit d'une simple question de température : ils ne fonctionnent bien et la spermatogénèse ne se fait correctement qu'à une température inférieure de 3° C à celle du corps qui pousse le raffinement jusqu'à prérefroidir le sang irriguant les testicules. Conclusion — et je ne plaisante pas —, c'est l'homme, bien plus que la femme, qui devrait porter jupon, comme les Ecossais et les soldats grecs : voilà des vêtements masculins rationnels, et non les jeans moulants. En effet, si les testicules doivent être bien serrés par le dartos, il ne faut pas les comprimer par des vêtements trop étroits.

Vous me demandez si je me balade en kilt ? Non, même pas chez moi, mais si la mode en gagnait le continent, je l'adopterais sans hésiter ! Au fond, qui nous empêcherait de la lancer : il y a plus farfelu !

La thermo-régulation scrotale est un phénomène complexe, sur lequel je n'épiloguerai pas. Voyons plutôt la pratique. A défaut de kilt, ou de l'ancienne culotte de cuir bavaroise qui s'arrêtait à mi-cuisse et laissait généreusement passer les courants d'air — jamais lavée, elle passait du père au fils —, il faut pourtant trouver le moyen de tonifier le dartos et les autres muscles « boursiers ». Alors, le strict minimum quotidien c'est la douche scrotale aussi froide que possible, précédée d'une friction au gant de crin : cette peau n'est ni sensible, ni fragile. (Pour les effets bénéfiques, voir mon *Je perfectionne mon Yoga*, p. 61 et suivantes). La douchette à main de la baignoire y suffit et n'hésitons pas à mettre de la pression ! Le bain de siège est efficace, lui aussi, par exemple dans le bidet rempli d'eau froide qui contracte le dartos et rétrécit les testicules ; les bourses, bien fermes, sont ramenées contre le corps. Quand il fait trop froid, le crémaster se charge de ramener les testicules tout près du corps pour les réchauffer. Vive le froid qui stimule la production hormonale des gonades, dont le rôle est fondamental pour la santé et la juvénilité du corps.

Le contrôle de l'éjaculation

Au Tibet, on colportait une étrange histoire au sujet du cinquième dalaï-lama, qui mourut vers 1680 et qui s'était singularisé de ses prédécesseurs en étant libertin, noceur et féminisant notoire.

Jusqu'à une époque récente, les chants d'amour qu'il a composés étaient toujours populaires parmi le petit peuple tibétain. A Lhassa, certaines maisons — lieux de ses rendez-vous galants avec l'une ou l'autre maîtresse — étaient marquées d'un mystérieux signe rouge et faisaient l'objet d'une vénération furtive, indice que le peuple ne le désapprouvait pas.

L'histoire raconte qu'un jour, sur la plus haute terrasse de son palais, le célèbre Potala, le dalaï-lama était en butte aux reproches de ses conseillers qui critiquaient ses mœurs sexuelles. Il leur dit : « C'est vrai, j'ai des femmes, mais ceux qui me critiquent en ont aussi. De plus, pour moi l'union sexuelle n'est pas ce qu'elle est pour vous » et, pour illustrer ses propos, du bord de la terrasse, tel le Manneken-Pis, il urina par-dessus le parapet. Le flot d'urine cascada de terrasse en terrasse jusqu'au bas du palais puis, miraculeusement, le dalaï-lama réaspira l'urine et la fit rentrer par où elle était sortie ! Triomphant, il dit à ses détracteurs ahuris : « Quand vous saurez en faire autant, vous saurez aussi que ma sexualité est très différente de celle du vulgaire. »

Ce conte, anticipation du gag classique du cinéma muet où l'on déroule le film à l'envers pour ramener le plongeur sur son tremplin, caractérise la mentalité des tantriques. En effet, son aspect fabuleux, invraisemblable, masque le véritable sens au non-initié, qui est de décrire une pratique tantrique secrète.

L'affirmation « pour moi l'acte sexuel n'est pas ce qu'il est pour vous » signifie que l'homme ordinaire — fût-il conseiller du dalaï-lama — s'accouple pour le plaisir, pour obéir à la pulsion primaire visant à perpétuer l'espèce, alors que le tantrique transcende l'union sexuelle et la transpose sur un plan cosmique !

En quoi cette abracadabrante histoire du pipi-qui-remonte nous concerne-t-elle ? Quel procédé secret, commun aux tantriques tibétains et indiens, cache-t-elle ?

Voyons cela. Le bouddhisme tantrique ainsi que le taoïsme, exigent, eux aussi, le contrôle absolu de l'éjaculation, qui ne devrait, en principe, *jamais* arriver, alors que des maîtres indiens l'acceptent parfois.

La rétention du sperme, nous le savons, permet à l'homme de prolonger indéfiniment l'acte, de l'intensifier au paroxysme pour parvenir ainsi au véritable orgasme et accéder à des niveaux de conscience supérieurs, ce que l'éjaculation empêche. Cette prouesse requiert un contrôle génito-urinaire absolu, notamment celui des sphincters. Pour y parvenir, un procédé favori consiste précisément à uriner par paliers successifs, plutôt que d'un seul jet, comme tout le monde.

Comment ? C'est facile, pourvu qu'on respecte les règles. On lâche un peu d'urine pendant une ou deux secondes, puis on stoppe net, on se retient pendant quelques secondes (cinq en moyenne), puis on relâche encore un jet parcimonieux, et ainsi de suite jusqu'à ce que la vessie soit vide.

Pendant l'arrêt, on imagine qu'on réabsorbe l'urine dans la vessie, tout en faisant un énergique *mula bandha,* autrement dit en contractant fortement et simultanément les deux sphincters ainsi que le muscle releveur de l'anus, ce qui produit une sensation particulière, difficile à décrire, souvent accompagnée de frissons le long de l'échine. Il suffit, somme toute, d'intensifier ce qu'on fait spontanément quand on est empêché de satisfaire un impérieux besoin d'uriner. Quant au nombre de jets, il variera d'une miction à l'autre, le principe étant d'intercaler un maximum de « paliers », en général de cinq à dix. Pratiquée régulièrement (une simple habitude à prendre), cette technique, à la portée de tous, facilite beaucoup le contrôle de l'éjaculation.

Quand vous reverrez le Manneken-Pis, pensez donc au cinquième dalaï-lama...

Exercice

Jusqu'ici, l'accent a été mis sur la *contraction* de ces muscles dont on peut aisément vérifier l'action : en les contractant volontairement lors d'une érection, le lingam bouge et se rapproche du corps. Ces muscles servent aussi au « langage secret » : c'est grâce à eux que le lingam inséré dans le yoni peut répondre aux contractions vaginales.

Toutefois, pour contrôler l'éjaculation, il faut penser à les *décontracter volontairement* à l'approche du point-limite.

Pour s'y exercer, de préférence pendant une érection, contracter au maximum ces muscles avec un mula bandha aussi serré que possible, jusqu'à ce qu'éventuellement un frisson remonte le long de l'échine. Puis — et c'est là l'essentiel de l'exercice —, détendre ces muscles : aussitôt la tension diminue dans le lingam qui s'éloigne un peu du corps. Puis les *recontracter* pendant quelques secondes et les *décontracter* ensuite, en insistant surtout sur la décontraction. En accentuant la phase de détente et en la prolongeant, l'érection faiblit et finirait même par disparaître.

Ce procédé peut être utilisé dès le prochain contact sexuel. Au début, ce contrôle, qui s'acquiert aisément, se fait en restant immobile, puis cette relaxation musculaire se fera même pendant les mouvements coïtaux. Très efficace pour s'éloigner de la zone limite, donc pour éviter l'éjaculation.

Si le shiva observe son propre comportement réflexe à l'approche de l'éjaculation, outre l'altération du rythme et de l'ampleur du souffle, il notera une forte tension dans les muscles des fesses, du ventre, du bas du dos et aussi du lingam. S'il se laisse aller, comme c'est le cas usuel, l'irrépressible réflexe éjaculatoire, auquel tous ces muscles participent, se déclenchera.

Alors, pour le retarder ou l'empêcher il faut, à l'approche du point-limite, contrôler le souffle comme indiqué ailleurs et — sans nécessairement s'immobiliser — s'intérioriser dans tous ces muscles et *les relaxer*. Grâce à cette relaxation, ses mouvements deviennent plus souples, plus harmonieux et leur rythme plus agréable à la shakti. Mais c'est la relaxation des muscles du lingam qui aide le plus à se maîtriser : l'érection faiblit un peu et, ayant quitté la zone « dangereuse », l'expérience peut se poursuivre.

Avec de la pratique, le tantrique pourra laisser libre cours à la shakti jusqu'à son extase ultime, en évitant cependant pour lui-même, un flirt trop rapproché avec le point-limite, surtout au début ! En s'identifiant à elle, il participera à sa jouissance et sa propre félicité dépassera de loin le trop bref plaisir éjaculatoire. Ce stade est déjà très supérieur à ce que vit l'homme ordinaire, sans toutefois constituer l'acmé absolu.

Du plaisir à la félicité...

Bhagwan Shree Rajneesh, personnage discuté (et discutable), a écrit : « Quand il y a de l'anxiété, l'éjaculation se produit vite. Mais quand il n'y en a pas, l'éjaculation peut être retardée des heures durant — oui, même plusieurs jours, car elle n'est pas nécessaire. Quand l'amour est profond, les deux partenaires peuvent se fortifier l'un l'autre. Alors l'éjaculation cesse complètement, et les amants peuvent se rencontrer ainsi pendant des années sans aucune éjaculation, sans gaspillage d'énergie. Ils se relaxent l'un dans l'autre. Les corps se rencontrent et se détendent. Tôt ou tard le sexe cessera d'être basé sur l'excitation, comme ii l'est maintenant ; il deviendra une détente — un profond "lâcher prise".

» Mais cela ne peut se produire que si vous vous abandonnez à l'énergie vitale qui est en vous — à la puissance de la Vie. Alors seulement vous pourrez vous abandonner à votre amant ou à l'aimée. Le tantra affirme que cela se produit ; il nous apprend, en outre, *comment* le réaliser. » *(The Book of Secrets*, p.398.)

Ici, Rajneesh a raison : l'anxiété et les tensions sont des obstacles majeurs dans le domaine de la sexualité en général puisqu'elles sont souvent à l'origine de l'impuissance ou de l'éjaculation précoce. En outre, il est certain que l'anxiété empêche le contrôle de l'éjaculation, mais cela ne suffit pas. Certes, dans la Voie de la Vallée, l'immobilité associée à la simple absence d'anxiété permettent d'inhiber l'éjaculation, mais non dans la Voie Abrupte (l'équivalent du « fil du rasoir »). Dans ce cas, il faut recourir aux procédés tantriques appropriés : le fait qu'ils existent et soient enseignés prouve leur nécessité !

Avant d'aborder ce sujet, lisons S.B. Dasgupta, dans *Introduction to Tantric Buddhism* (p. 142) : « Selon les adeptes du *Vajra-yâna* et du *Sahaja-yâna*, le plaisir que procure l'éjaculation est bien inférieur, en intensité et en qualité, à la félicité qu'on atteint en contrôlant cette matière (le sperme), en stoppant son flux descendant, grâce aux procédés yogiques subtils, et en lui imprimant un mouvement ascensionnel qui le fait refluer vers le lotus situé au cerveau pour l'y fixer. La félicité obtenue par l'immobilisation du sperme s'appelle *Mahâsukha.* » (Etymologie : *mahâ* = grand, *sukha* bonheur) .

Derrière ce texte un peu sybillin, en fait, de quoi s'agit-il ? Voyons cela de plus près. Pour comprendre cette méthode tantrique, il faut se souvenir que, selon la physiologie subtile yogique et tantrique, l'énergie vitale globale se diversifie en cinq *vayus* principaux, c'est-à-dire spécialisations de l'énergie vitale régissant les diverses fonctions organiques. Dans l'optique du contrôle de l'éjaculation, nous nous bornerons aux deux principales, *prâna vayu* et *apâna vayu.* La première, *prâna vayu* se charge d'absorber énergie et matière, tandis que *apâna vayu* c'est l'énergie excrétoire. En somme, dans le budget vital du corps, si *prâna vayu* s'occupe des « recettes », *apâna vayu* est responsable des « dépenses » et la santé résulte de leur strict équilibre. Un manque de *prâna,* signifie un manque de vitalité, mais si *Apâna vayu* n'évacue pas tout ce qui doit sortir du corps, et notamment les déchets du métabolisme, le corps s'encrasse et la santé est menacée. C'est elle, l'énergie d'excrétion, qui évacue les selles, l'urine, la sueur, les règles, etc. En plus, *apâna* régit l'accouchement ainsi que l'éjaculation, puisque le sperme sort du corps. Enfin, *apâna* agit vers le bas, vers les diverses portes de « sortie ». (Pour plus de détails, consulter mon livre *Prânayâma, la dynamique du souffle,* pp.235 et suivantes.).

La tactique tantrique subtile pour inhiber l'éjaculation est logique. Elle consiste à *inverser* le cours de l'énergie excrétoire, celle qui mène à l'éjaculation. Cela éclaire le texte sibyllin de Dasgupta : « Il faut stopper le flux vers le bas, vers la sortie (*Apâna*), puis le diriger vers le haut, vers le cerveau. » Ce n'est évidemment pas le sperme qui « monte au cerveau », mais bien l'énergie subtile *apâna* qui contrôle l'éjaculation.

D'où l'importance de vajrolî et du procédé yogique camouflé dans l'histoire du dalaï-lama réaspirant son urine, grâce à quoi, dans la méditation tantrique à deux, même sur le « fil du rasoir », l'adepte inhibe indéfiniment l'éjaculation.

Cela va nous permettre d'ajouter une arme anti-éjaculation supplémentaire à notre panoplie ! En effet, il y a une omission importante (et préméditée) dans l'énumération des fonctions d'excrétion, je veux dire *l'expiration* .

L'expiration est aussi du ressort d'*apâna* : les toxines gazeuses expirées sont aussi nocives que l'urine, par exemple. Or, fait capital qui n'a pas échappé aux yogis, la respiration est la *seule* fonction double : elle dépend de *prâna vayu* pendant l'inspir et d'*apâna* pendant l'expiration. Lumineux : pour agir sur *apâna*, donc sur l'éjaculation, *maîtrisons l'expiration*, car l'énergie vitale est unitaire. De plus, le souffle, fonction-charnière entre la vie végétative involontaire, donc inconsciente et la vie volontaire, consciente, a une autre particularité. En effet, normalement mon souffle est automatique et je n'ai pas à m'en occuper, mais, à tout moment — il suffit de le vouloir — j'en deviens conscient et je puis agir sur lui, donc contrôler *prâna* et *apâna*. Cela permet, sans techniques compliquées, inhiber dans une large mesure l'éjaculation : intéressant !

Comment ? D'abord, pendant toute la durée de l'union mais surtout vers le point-limite, il faut rester très calme et se concentrer sur l'expérience en cours tout en étant très *conscient du souffle*. Dans l'étreinte ordinaire, le rythme respiratoire et les mouvements coïtaux se synchronisent spontanément comme suit : poussée = expiration — retrait = inspiration. Tant qu'on navigue en eau calme, loin du point-limite, cette séquence peut être maintenue.

Plusieurs options s'offrent au shiva :

1. près du point-limite, *inverser* ce rythme spontané pendant les va-et-vient, donc *expirer* à chaque *retrait* du lingam et, bien entendu, *inspirer* à chaque poussée ;
2. ou encore, pendant toute la durée du contact, adopter une respiration lente, profonde, en *répartissant* chaque longue inspiration ou expiration sur plusieurs va-et-vient successifs.

Ces options peuvent s'alterner : respiration lente et profonde dès l'entrée du lingam et pendant tout le contact, jusqu'à l'approche du point-limite où l'on inverse le rythme comme indiqué ci-dessus. Si le couple doit s'immobiliser pendant un temps pour éviter l'éjaculation, on passe à la formule 2 cidessus. Après l'alerte, les va-et-vient peuvent reprendre avec une respiration profonde et lente. En fait, chaque couple doit expérimenter et apprendre à se connaître réciproquement.

Voici une autre technique, très efficace : *inspirer par paliers* (par le nez), mais *expirer d'un seul coup* par la bouche.

Autrement dit : poussée avec inspir partiel — retrait en rétention, nouvelle poussée avec inspir partiel — nouveau retrait en rétention, et ainsi de suite jusqu'à ce que les poumons soient remplis (de 5 à 9 paliers en moyenne). Quand ils sont pleins, après une brève rétention et sur un *recul* du lingam, expirer d'un seul coup par la bouche avec un « ha ». Le tout rythmé sur les va-et-vient. A la lecture, cela paraît complexe mais en réalité c'est aussi simple que de gonfler un pneu de vélo !

Enfin — surtout quand on arrive au point-limite où un seul mouvement de trop déclencherait irrésistiblement l'éjaculation —, sans bouger, en respirant lentement et profondément (voir ci-dessus), *imaginer qu'on se retient d'uriner ou même qu'on réaspire l'urine,* comme dans l'exercice du dalaï-lama. La respiration doit être profonde au point d'avoir l'impression d'envoyer l'air jusque dans le bas-ventre. En même temps on veille à relaxer la sangle abdominale et les fesses car si, au point-limite, on bloquait le souffle en serrant les fesses et en durcissant la sangle — comme c'est le cas habituel —, on risquerait d'éjaculer.

A tous ces procédés on peut ajouter *jiva bandha* qui consiste d'abord à replier la langue au maximum et à la repousser le plus loin possible vers l'arrière. Le dessous de la langue se trouve ainsi en contact avec le voile du palais. Quand c'est fait, on contracte la langue pour créer une pression contre le palais.

Jiva bandha s'utilise au point-limite et remplace *khechari mudra,* procédé ultime pratiquement inaccessible aux Occidentaux. Il consiste à entailler chaque jour le frein de la langue de l'épaisseur d'un cheveu, puis l'adepte se « trait » la langue comme un pis de vache, pour l'allonger jusqu'au point où il peut l'« avaler ». Insérée derrière la luette, elle bloque totalement le souffle. Mon premier maître avait la langue si longue que son bout pouvait toucher un point entre ses sourcils ! Inutile de préciser que cette résection ne peut se faire que sous la direction d'un guru. Après chaque incision on frotte la blessure avec du sel pour en empêcher la cicatrisation et ainsi de suite jusqu'à ce que la longueur convenable de l'entaille soit atteinte, ce qui prend des semaines. Si l'on allait trop loin dans la résection du frein de la langue, on aurait des troubles d'élocution.

Khechari mudra, cité pour être complet, contredit la règle de *ne pas* bloquer le souffle au point-limite : c'est l'exception qui, comme chacun sait, confirme la règle...

Un truc taoïste : au point-limite, et pendant toute l'alerte, grincer des dents en les serrant au maximum, et presser si fort les paupières l'une contre l'autre qu'on sent une vibration dans les oreilles.

Ces procédés réduisent fort les risques de « dérapage ». Peu à peu, le shiva restera de plus en plus longtemps, de plus en plus près du point-limite, centré dans son souffle et dans l'abdomen car, selon le tantra, « il faut stopper le sperme dans le ventre ».

Que faut-il entendre par là ? En éjaculant l'homme a l'impression que le sperme lui jaillit des bourses, alors que c'est évidemment depuis la prostate, donc près de la vessie, qu'il est propulsé à travers l'urètre. C'est sur ce trajet qu'il faut agir et c'est le but de l'exercice dit du dalaï-lama. Au point-limite, le shiva détournera son attention du lingam, et particulièrement du gland, pour s'intérioriser dans le ventre tout en faisant mula bandha.

Néanmoins, malgré ces techniques — rançon de l'apprentissage —, il y aura des dérapages, mais les progrès seront assez rapides quand même.

Le tantra dit aussi : « Qui contrôle le mental, contrôle aussi le souffle et le sperme. » C'est vrai, mais shiva n'est pas seul et la shakti doit, elle aussi, jouer le jeu. La shakti expérimentée sait et sent fort bien quand le shiva se trouve au point-limite ; elle l'aide en ne bougeant plus et en centrant toute son attention sur l'expérience. En fait, beaucoup dépend d'elle car peu d'hommes peuvent résister à l'« assaut » d'une femme passionnée qui veut son sperme. C'est vrai, au début l'union réservée paraît moins satisfaisante, mais bientôt le couple découvre qu'il a tout à gagner sur tous les plans. Seule la shakti qui a la chance exceptionnelle de s'unir à un shiva tantrique expert en *khechari mudra* peut se laisser aller sans restriction et sans provoquer une éjaculation intempestive...

Toutefois, le maïthuna tantrique ne nous condamne pas à l'immobilité perpétuelle : il faut donc tenir compte des muscles qui entrent en jeu pendant les mouvements coïtaux. Comme pour le souffle, il faut déconditionner le jeu musculaire réflexe de l'acte, donc d'abord le connaître. Pour cela, pendant le coït et surtout près du point-limite, l'homme observera quels muscles participent au jeu instinctif et rythmé du bassin. Il s'observera aussi lors d'une éjaculation, simple incident technique. Il sentira alors les muscles lombaires, responsables des coups de reins, ainsi que les fessiers et la sangle abdominale agir et, dans la phase ultime usuelle, se crisper chez le non tantrique. S'il veut ne pas déraper, il devra les relaxer, bannir tous mouvements saccadés, spasmodiques, peu harmonieux : le va-et-vient doit résulter d'une ondulation souple de toute la colonne vertébrale et non pas être fait de coups de reins. On se contrôle d'autant mieux qu'on relaxe les muscles-réflexe de l'éjaculation. Par contre, il faut serrer à fond l'anneau musculaire de la base du lingam qui intensifie l'érection. Plus il est serré, moins on risque d'éjaculer, sauf à l'ultime seconde, sur le « fil du rasoir » où il faut le relaxer aussi pour inhiber l'éjaculation.

Toujours à propos de mouvements, au début, le tao prône « trois coups superficiels, un coup profond » pendant 81 coups. (Pour eux 81 est le nombre parfait il est le carré de 9, lui-même le carré de 3, nombre sacré s'il en est...). En progressant, on porte 9 coups superficiels et un profond. Au point-limite, si le taoïste craint d'éjaculer, il retire son *Pic de Jade* en ne laissant que le gland engagé. Après 20 à 30 secondes sans bouger, calmé, il reprendra ses coups. Au point-limite, le taoïste bloque le souffle à poumons pleins, soulève le diaphragme en ouvrant le thorax et contracte le bas-ventre. Le tantra, lui, conseille *uddiyana bandha*, la rétraction abdominale, qui correspond grosso modo aux prescriptions du tao, sauf que les poumons sont vides. Pour le tao, l'homme ne devrait pas éjecter son *king* (sperme) avant 5.000 coups !

Jolan Chang, dans son *Tao de l'art d'aimer* précise qu'avec le temps le retrait devient de moins en moins nécessaire et qu'on finit par n'y recourir que rarement.

En Chine ancienne, juste avant l'éjaculation, on pressait fortement avec l'index et le majeur de la main gauche, pendant trois ou quatre secondes, la zone entre le scrotum et l'anus (le bulbe), tout en prenant une profonde inspiration. Ce procédé peut empêcher l'éjaculation et si néanmoins elle a lieu, le sperme ne sort pas du lingam : il est refoulé vers l'intérieur. Où va-t-il ? Physiologiquement, il ne peut guère aller que dans la vessie et sera évacué lors de la première miction car il me semble impossible qu'il puisse retourner d'où il vient, c'est-à-dire dans la prostate !

A la différence du taoïste, quand le tantrique n'a pu stopper l'éjaculation, il accepte qu'elle se produise dans le yoni. La seule chose qu'il regrette, c'est qu'elle interrompe la méditation à deux avant son terme et qu'elle éteigne le désir... pour un temps plus ou moins long.

Ejaculation précoce

Pour éviter l'éjaculation précoce, la shakti chevauche le shiva couché sur le dos puis, à l'aide des doigts, elle écarte les lèvres de sa vulve qu'elle applique contre la hampe du lingam, sans toucher le gland, créant ainsi un simple contact génital sans intromission. Tandis que le shiva se relaxe (surtout le ventre et les fesses) et respire profondément, la shakti, par de discrets mouvements de va-et-vient, fait délicatement glisser sa vulve humide (clitoris inclus) le long du lingam, parfois jusqu'à l'orgasme féminin. Si l'« épreuve » devient trop intense pour le shiva, sans changer de position, elle s'immobilise pendant cinq à dix minutes — une délicieuse éternité ! — le temps que le risque de contractions vaginales réflexes s'atténue.

Vient alors l'instant, si désiré, de l'union. Dans le coït banal, l'homme « fait des choses » à sa femme : c'est lui qui pénètre. Dans le maïthuna, c'est la shakti qui *absorbe* le lingam, sans hâte ! Au début, seul le gland est happé par le yoni, enserré par les muscles de l'entrée du vagin. Les sens en éveil, les partenaires immobiles demeurent attentifs à ce qui se passe entre eux, en eux. Plus de caresses, plus rien qui puisse exacerber la tension sexuelle : ils s'ouvrent à la fusion intime amorcée. Pas de va-et-vient, pas de progression du lingam vers l'intérieur : seul le langage secret des contractions intimes est permis.

Près du point-limite, ils ont recours aux procédés de contrôle décrits ailleurs, notamment à la relaxation du crémaster. Dès que la tension érotique s'est stabilisée, les mouvements rythmés, harmonieux comme une danse, peuvent commencer. La shakti reste attentive à ses propres réactions pour ne pas laisser s'installer les amples mouvements instinctifs du bassin, commandés par le pôle génital. Elle peut — et devrait ! — parvenir à l'orgasme avec seulement d'imperceptibles mouvements à *son rythme.*

Dans l'union ordinaire, les coups de reins se succèdent, s'amplifient, s'accélèrent ; à chaque poussée, les pubis se rencontrent pour s'écarter à chaque retrait. Le résultat fatal est bien connu : sauf exception, après deux ou trois douzaines de ces coups longs et profonds, le sperme jaillit, « vidant » l'homme et laissant la femme insatisfaite.

Comme le bon cavalier épouse le trot de sa monture, sans cogner contre la selle, de même, avec grâce et souplesse, le shiva accompagne le rythme de la shakti, dans toutes ses nuances et variations subtiles, en *gardant le contact pubis contre pubis* pour réduire les mouvements relatifs yoni-lingam et, du même coup, le risque de dérapage.

Des acharyas tantriques conseillent l'intromission par paliers : après avoir happé le gland, la shakti absorbe le lingam au tiers de sa longueur, puis aux deux tiers et enfin le tout, en répétant à chaque niveau le processus décrit ci-dessus. Ou encore, ils conseillent de changer de position lors de l'intromission et de choisir l'âsana latérale, *Paryankâsana,* qui permet des mouvements assez amples du bassin féminin, mais, comme le shiva enserre une cuisse de la shakti entre les siennes, le va-et-vient du lingam est très limité. En outre, le pubis mâle, perpendiculaire à celui de la shakti, stimule son clitoris, ce qui intensifie sa jouissance, sans trop de risques de « dérapage » pour le shiva !

Calmes, détendus, sans hâte, les adeptes resteront, sans difficulté majeure, unis pendant une heure ou plus.

Vajrolî, l'arme absolue

Dans la panoplie anti-éjaculatoire, Vajrolî est une sorte d'arme absolue qui a mué tant d'éjaculateurs précoces en experts ès rétention séminale !

Parmi les procédés ésotériques du tantra, *vajrolî* est un secret bien gardé depuis des millénaires : on cherche en vain, dans la copieuse littérature disponible, des indications détaillées et précises à ce sujet. Au maximum, on a droit à une description sommaire du procédé qui n'est pratiquement jamais enseigné en Occident, rarement en Inde moderne.

Sans être absolument indispensable à *bindusiddhi* — le contrôle parfait de l'éjaculation —, *vajrolî* est cependant un procédé sensationnel de simplicité et d'efficacité. Il ne concerne que le shiva car, quoique accessible à la femme, à quoi cela lui servirait-il puisqu'elle n'éjacule pas. Notons que certains sexologues parlent d'éjaculation féminine mais cela n'aurait de toutes façons pas la même signification que pour l'homme.

En bref, *vajrolî* consiste à insérer un cathéter dans l'urètre jusque dans la vessie, puis l'adepte s'exerce à aspirer des liquides de plus en plus denses, d'abord avec la sonde en place, puis sans.

Vajroli s'est toujours transmis de maître à disciple, parce que, pratiqué sans guide, il présente des risques qu'on évite sans peine en observant les précautions d'asepsie élémentaires données ci-dessous. Avant d'entrer dans les détails techniques, je précise que la seconde partie de *vajrolî,* donc l'aspiration de liquides, n'est pas indispensable pour maîtriser l'éjaculation et que l'Occidental peut donc s'en dispenser.

Venons-en aux techniques concrètes. Première condition : disposer d'un cathéter ! Les yogis modernes se servent d'une sonde urétrale en caout-

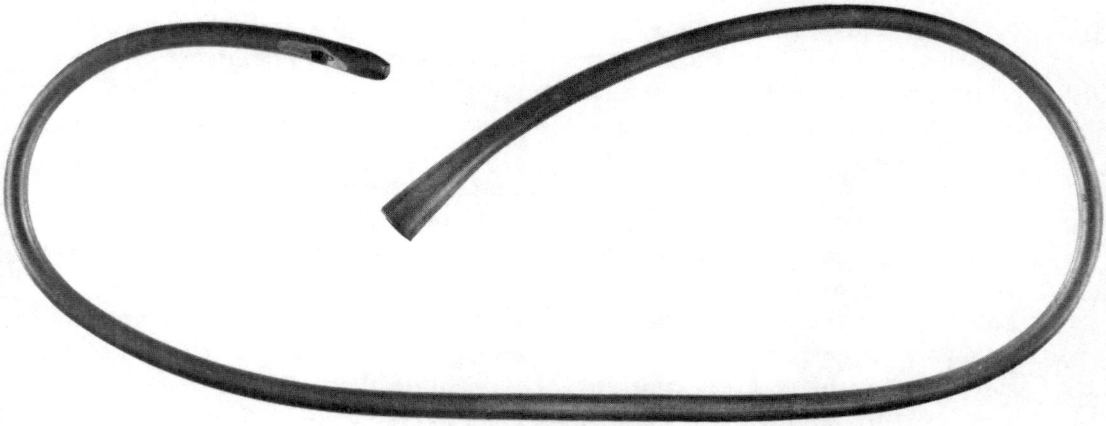

chouc ou en matière plastique, qui s'achète en pharmacie ou chez les vendeurs d'accessoires médicaux. Une sonde nasale peut aussi servir et s'obtient plus facilement qu'une sonde urétrale qui, paraît-il, peut servir à des avortements, d'où les réticences de la part des vendeurs. Le diamètre sera celui de l'illustration mais, tant que vous y êtes, achetez-en deux ou trois, de diamètre croissant. En Inde, avant l'avènement des sondes en caoutchouc les tantriques utilisaient un cathéter en métal, donc rigide, le plus souvent en argent, et cela ne devait rien ajouter aux charmes de l'opération, tout en présentant des dangers qu'évitent les sondes souples.

Me voilà donc en possession de la sonde urétrale que je viens d'acheter. Je la sors de son emballage hermétique, donc stérile. Je dispose aussi d'un tube de gel gynécologique qui fera office à la fois de lubrifiant et d'aseptisant. J'en enduis la sonde sur une longueur de trois ou quatre centimètres, puis, tenant d'une main le lingam (jamais en érection, ni même en semi-érection !), de l'autre j'introduis délicatement la sonde dans l'urètre.

Premier centimètre : tout va bien, je ne ressens pratiquement rien. Plus loin, la sonde touche les muqueuses très sensibles de l'urètre et je procède donc par légers mouvements de va-et-vient qui font progresser la sonde. Cela ne fait pas mal, mais c'est sensible. Le premier jour, je me contente d'un centimètre. C'est peu, mais j'ai le temps ! Je retire la sonde puis, ayant pris la précaution de ne pas vider complètement la vessie avant l'opération, *aussitôt après* je la vide. La miction est presque douloureuse, mais l'urine, stérile, rince l'urètre. Je rince la sonde à l'eau et je la conserve dans de l'eau additionnée d'un aseptisant ordinaire qu'on trouve dans toute pharmacie, de quoi la retrouver stérile au prochain usage.

Le lendemain — pas avant : inutile de faire du zèle ! —, je recommence et je vais un peu plus loin. Chaque jour, je progresserai dans l'urètre et chaque fois, avant de retirer la sonde, je ferai quelques mouvements de va-et-vient et je rincerai l'urètre en urinant. Le but est de désensibiliser la muqueuse urétrale : voir plus bas. Puis j'extrais la sonde et la remets dans le liquide aseptique.

Ainsi, peu à peu, je gagne du terrain : 5 cm, 10 cm, 20 cm... Puis, un beau jour, je me bute à un passage rétréci. Comme j'agis toujours avec délicatesse, sans mouvements brusques, je n'ai rien à redouter et voilà quelques gouttes d'urine qui s'écoulent par l'extrémité libre de la sonde, ce qui m'informe que je viens d'entrer dans la vessie. (Autre raison de n'avoir pas vidé complètement la vessie avant de faire vajrolî). Je reviens de quelques millimètres en arrière, juste de quoi stopper l'écoulement d'urine. Me voici donc arrivé au carrefour stratégique, là où le conduit prostatique débouche dans l'urètre, donc au plus près de l'endroit où se déclenche le réflexe éjaculatoire.

En persévérant, la sonde passera comme une lettre à la poste dans l'urètre : pour moi, le but essentiel sera atteint.

Cette façon de procéder est très douce comparée à la clinique, où le cathéter sert justement à aider les patients souffrant de rétention d'urine. Les infirmières, vu l'urgence, n'ont pas le loisir d'y aller par quatre chemins : la sonde est enfoncée d'un trait !

A titre documentaire, et pour être complet, j'ajoute qu'en Inde ceci n'est qu'un début ! La sonde étant insérée jusque dans la vessie, ils font *uddiyana bandha,* la rétraction abdominale, ou mieux encore *nauli* central, qui consiste à isoler et à faire saillir les muscles grands droits de l'abdomen : cf. *J'apprends le yoga, p.*269, et *Ma séance de Yoga, p.*255. La dépression intra-abdominale qui en résulte, aspire l'air à travers le cathéter jusque dans la vessie. Au début, c'est-à-dire aussi longtemps que le cathéter n'arrive pas jusqu'à la vessie, on souffle très fort dans un second tube embouché dans le premier afin de dilater l'urètre.

Plus tard, le bout libre de la sonde étant plongé dans de l'eau, en faisant nauli la dépression aspire le liquide jusque dans la vessie. Puis, la pratique aidant, l'adepte aspire des liquides de plus en plus denses : du lait, puis du lait additionné de miel, enfin du mercure « tué », c'est-à-dire traité selon des procédés ayurvédiques qui le rendent non toxique.

En Occident, l'aspiration de liquides, quand elle est pratiquée — ce qui est tout à fait facultatif —, se limite, au plus, à du lait qu'on aura pris soin de faire bouillir pour l'aseptiser. Sans être indispensable, l'aspiration de liquides assure un contrôle encore plus absolu de l'éjaculation.

Comment vajrolî réalise-t-il ses objectifs ? Souvenons-nous que, pendant l'éjaculation, des contractions spasmodiques, réflexes et irrépressibles, parcourent l'urètre en expulsant le sperme. Vajrolî réduit le risque d'éjaculation en *désensibilisant* les terminaisons nerveuses de l'urètre, ce qui émousse le réflexe éjaculatoire sans diminuer la volupté sexuelle. A ce stade, il n'est plus nécessaire de pratiquer vajrolî tous les jours : on peut espacer les séances d'un, puis de deux ou trois jours. Enfin, la « dose d'entretien » d'un passage par semaine suffit.

Outre cette désensibilisation, l'autre but est de prendre conscience du trajet de l'urètre jusqu'à la prostate, ce qui favorise le contrôle de l'éjaculation.

Mais l'objectif top-secret des tantriques, qui utilisent des sondes de diamètre croissant pour élargir considérablement l'urètre est le suivant : quand le méat est suffisamment distendu, il peut happer et aspirer rythmiquement le clitoris, ce qui constitue la forme ultime de l'union inversée, dont il est souvent question dans la littérature tantrique, sans qu'il soit précisé en quoi cela consiste. (L'explication usuelle selon laquelle l'union inversée signifie que la shakti soit sur le shiva ne tient pas.) Dans l'union inversée le clitoris (homologue du pénis) pénètre dans le lingam ainsi devenu un mini-vagin. Un gourou tantrique, Shri Prabhuji, m'a confié qu'en stimulant ainsi le nerf secret de la shakti, l'adepte lui procure la béatitude suprême, divine, sans crainte d'éjaculer .

Enfin, vajrolî raffermit les bourses et tonifie les gonades, ce qui augmente la vigueur et la virilité tandis que la production accrue d'hormones mâles rajeunit l'organisme. Alors, pourquoi hésiter à le pratiquer ? Ce n'est pas bien terrible et les résultats sont garantis.

Pour terminer, jetons un coup d'œil à la littérature tantrique publiée. Seul le *Hatharatnavali,* très ancien manuscrit qui n'a été traduit et publié qu'en 1982 par M. Venkata Reddy, de Secunderabad, donne des renseignements un peu plus précis à propos de vajrolî, quoique insuffisants pour le pratiquer. A propos du tube, il précise qu'il sera en « or, argent, cuivre ou en fer » (II.78.) !

La « description » technique se borne à ceci : « Il faut insérer sans crainte le tube dans l'urètre pendant un moment. Ceci donnera de la stabilité (des érections puissantes et prolongées) et de la force au pénis, tout en augmentant la production du sperme. » (II.84.)

Dans II.85, il ajoute qu'il s'agit d'« élargir l'orifice du lingam pour le fortifier » sans rien préciser de plus, mais nous, nous savons maintenant pourquoi cela se fait... Le texte devient concret dans les sutras suivants : « Dans un endroit secret, qu'il soit avec une belle femme nue couchée sur le dos ; étant nu lui aussi, il se couchera sur elle et ils feront un peu de *kumbhaka* (rétention du souffle). (87.)

» Etant ainsi profondément enlacés, le pénis sera inséré dans le vagin. Puis ils se boiront les lèvres en faisant de petits bruits. (88.)

» Ils se grifferont l'un l'autre avec les ongles et s'activeront jusqu'à en transpirer. Le *bindu* (fluide, semence) sécrété par le vagin sera aspiré par le pénis grâce à une pratique constante. (89.).

» Alors, si l'organe mâle émet le *bindu,* il sera réaspiré (par le pénis, grâce à vajrolî); ainsi, en sauvant sa semence *(bindu)* le yogi vaincra la mort. » (90.)

Après ce texte, on ne peut plus explicite, qu'on ne vienne plus nous dire que le yogi est une espèce d'eunuque ayant étouffé tout sensualité et fait vœu d'abstinence. On retrouve ces mêmes précisions dans le *Hathayoga-pradipikâ,* sauf qu'elles sont expurgées des éditions modernes. En effet, c'est sans vergogne que le néobrahmanisme pudibond expurge les textes yogiques originaux de tout contenu sexuel, censure « justifiée », selon ses traducteurs, pour motif d'obscénité !

Ainsi, dans la *Siva Samhita,* traduite par Rai Bahadur Shri Chandra Vasu, on lit au bas de la page 51, cette note du traducteur: « *Vajrondi* (sic) *Mudra,* décrit dans ce chapitre de l'original, est omis car il s'agit d'une pratique obscène à laquelle s'adonnent des tantristes de basse classe. » La même censure et suppression se retrouvent dans le *Hatha Yoga Pradipika* publié par Adyar à Madras.

Conclusion : si, dans un premier temps, *Vajroli* ne vous tente pas de façon irrésistible, retenez que cette technique n'est pas indispensable à la pratique tantrique et passons à autre chose. La plupart des exercices destinés à muscler le yoni s'appliquent aussi aux adeptes mâles, moyennant, de-ci de-là, des adaptations mineures. Voir (et pratiquer !) notamment le *mula bandha* décrit au chapitre suivant : « Muscler le yoni ».

Muscler le yoni

Un jour, j'ai piqué au vif une amie en disant que, sauf exceptions, les Occidentales ont un vagin aussi musclé qu'une... savate, comparaison dont j'avoue le manque de poésie, sinon de pertinence, hélas !

Entendons-nous : personne n'en jette la pierre à nos femmes. En effet, qui leur en parle, qui les informe, qui leur apprend à muscler leur yoni ? Un exemple. Pour préparer ce livre, outre les sources tantriques, je me suis même abonné à une revue sexologique se prétendant d'avant-garde. J'y ai lu (rubrique *Les lecteurs écrivent)* la confidence d'un don Juan vantard qui évoquait complaisamment ses nombreuses conquêtes et se souvenait d'une femme qui contrôlait à merveille ses muscles vaginaux : il en restait encore baba ! Mais, au lieu de n'accorder que quelques lignes à ce sujet, ce magazine aurait été bien inspiré de consacrer une étude complète à ces techniques dont on ne parle jamais, ou presque, chez nous. Alors, faut-il s'étonner que le contrôle vaginal soit rarissime en Occident ?

Or, pour des rapports harmonieux dans le couple, pour un accord sexuel total — sans même évoquer le maïthuna tantrique —, il confère à la femme un atout de séduction majeur, dont elle aurait tort de se priver. Est Brigitte ou Raquel qui peut, mais l'homme préférera une femme moins belle ayant ce contrôle, à une star dont le yoni serait du genre savate. (Je n'insinue rien à propos de Brigitte ni de Raquel, n'étant pas leur confident !)

D'autre part, quand une femme prend la peine d'exercer ces muscles, n'est-il pas équitable qu'elle en profite ainsi que son ou ses partenaires ? D'autant qu'une telle musculature, souple et forte, présente des avantages sur bien d'autres plans : une bonne musculature, surtout souple et décontractée, facilite l'accouchement.

Ce contrôle vaginal permet aussi le « langage secret » qui s'établit pendant le maïthuna et, en plus, la shakti peut aider le shiva à se contrôler.

Toute femme peut — et devrait ! — fortifier et contrôler sa musculature vaginale, quel que soit son âge. Bien sûr : une jeune femme initiée dès la puberté, comme cela se fait dans certaines régions de l'Inde où les mères l'enseignent à leurs filles, sera favorisée par rapport à une Européenne qui commence à l'âge adulte, mais tout le contrôle qu'elle acquerra sera le bienvenu à tous égards.

Sahajolî, le contrôle vaginal

Richard Burton, écrit en connaisseur : « Ce contrôle vaginal est la réponse féminine la plus recherchée. Elle (la femme) doit... fermer et resserrer le yoni jusqu'à ce qu'il enserre le lingam comme une main, l'ouvrant et le fermant selon son bon plaisir, comme la main d'une gopi qui trait la vache. Ceci ne s'acquiert qu'après une longue pratique et spécialement en projetant toute sa volonté dans la partie du corps concernée, de la même manière que les hommes tentent d'affiner leur ouïe. [...] Son mari l'appréciera plus que toute autre femme et ne voudra pas l'échanger pour la plus belle reine des Trois Mondes. »

Le sexologue Alex Comfort, dans *The Joy of Sex*, ajoute, p.165 :

« Toute femme peut apprendre à se servir de ses muscles vaginaux et pelviens en y envoyant sa pensée. Ce « tour de main » (*knack* dans le texte) peut s'apprendre puisque les filles de l'Inde du Sud l'acquièrent. Cela n'a aucun rapport avec la race, c'est une simple question de pratique. Comment cela se réalise exactement n'a jamais été décrit, malheureusement... »

Alors, j'ignore si je suis vraiment le premier à les décrire, mais en tous cas, les techniques tantriques éprouvées qui suivent permettent à toute femme de l'acquérir.

En Inde, les jeunes shaktis dravidiennes sont initiées très tôt à ces techniques, appelées *sahajolî*, souvent même avant la puberté. D'habitude, c'est la mère qui éduque ses filles. A défaut, ce sera le gourou tantrique. Bien sûr, plus l'initiation est précoce, plus les muscles deviendront puissants, plus total sera leur contrôle.

Sahajolî faisait aussi partie de l'éducation secrète des devadâsis, les danseuses sacrées des temples hindous, tout comme des hétaïres grecques. Pour ces dernières, un test qui faisait presque office d'« examen de passage », consistait à sectionner avec les muscles de leur yoni un phallus en pâte à modeler !

L'Occidentale moderne qui n'a pas bénéficié de cette éducation précoce ne les égalera sans doute pas ; néanmoins toute femme, à tout âge, avec un peu de persévérance, obtiendra un résultat très correct. Après tout, le vagin, c'est surtout du muscle qu'on peut fortifier et contrôler comme tous les autres. Il en va de *sahajolî* comme des âsanas : les yogis indiens qui pratiquent ces postures souvent depuis l'enfance, ont une souplesse et un contrôle corporel stupéfiant, qu'aucun adepte commençant à l'âge adulte n'atteindra. Mais l'expérience prouve que, même à un âge avancé, on peut regagner une bonne souplesse, surtout comparée à la moyenne de nos concitoyens, même jeunes. Quel que soit votre âge, grâce à *sahajolî*, vous acquerrez un contrôle appréciable — et apprécié... — des muscles du yoni.

Comme la majorité des Occidentales ignorent ces techniques, au pays des aveugles les tantriques seront des reines !

Comment procéder ? La méthode, somme toute assez simple, repose sur *mula bandha* (voyez mon livre *Prânâyâma, la Dynamique du Souffle*, p. 257), qui consiste à contracter les sphincters anaux — ils sont deux —, plus le releveur de l'anus. Toutefois, la pratique tantrique requiert le *mula bandha* plus élaboré décrit ci-dessous.

Comment pratiquer mula bandha

Assise ou couchée, prenez conscience de la région anale, en respirant calmement. Après une minute environ, quand vous serez bien intériorisée, contractez faiblement d'abord le premier sphincter de l'anus, l'externe. Puis, en serrant un peu plus, la contraction gagnera le second anneau musculaire ; enfin, contractez le releveur de l'anus, attirant ainsi les deux sphincters anaux vers l'intérieur et vers le haut. En procédant lentement et graduellement, on distingue bien ces trois niveaux, même dès le premier essai. Puis, serrez aussi fort que vous pouvez, jusqu'à faire vibrer toute la zone anale. Vous sentirez parfois même un frisson parcourir toute votre colonne vertébrale. Tenez cette contraction maximum, souffle bloqué, pendant six secondes au moins. Puis, relâchez la bandha en restant intériorisée dans ces muscles. Suit alors la détente de toute la zone et la perception de la sensation de chaleur qui en résulte. Vous pouvez aussi, facultativement, continuer à respirer pendant la bandha. Répétez le processus à volonté, cinq fois d'affilée étant un minimum.

Grâce à ce *mula bandha* énergique, vous sentirez que les réactions débordent de l'anus, gagnent le périnée, la vulve, le clitoris, le vagin, et même l'utérus. C'est normal puisque les sphincters de l'entrée du vagin et ceux de l'anus forment comme les deux boucles d'un « 8 » : contracter l'une, c'est aussi agir sur l'autre.

Faites l'essai : contractez l'une des deux boucles du 8 et soyez attentive aux sensations perçues à leur jonction (le périnée), ainsi qu'à l'anus et à l'entrée du vagin.

Quand vous les sentirez bien et que vous saurez les contracter à volonté, votre attention ira plus en profondeur, jusque dans le vagin où se développeront des sensations nouvelles. Grâce à *mula bandha,* de faibles au début, ces contractions gagneront vite en puissance surtout grâce à l'exercice suivant.

Comme pour tous les sphincters et les organes creux, le rôle des muscles du vagin est la *constriction.* Pendant l'orgasme, la constriction ondoyante et rythmique parcourant le yoni y produit des sensations voluptueuses qui se propagent au lingam.

Muscler votre vagin

Le tantra veut fortifier ces muscles par l'exercice suivant qui se fait normalement « à froid », c'est-à-dire en dehors du contact sexuel et sans excitation érotique. Pour permettre une constriction efficace, le lingam est remplacé par un objet cylindrique ad hoc : plus il ressemblera au lingam, mieux le yoni pourra l'enserrer. A la rigueur, l'exercice peut se faire avec... un vrai lingam, dans la Voie de la Vallée, par exemple !

Quant à l'« objet », il peut être d'un diamètre inférieur à celui d'un vrai lingam : éventuellement, la canule d'un irrigateur vaginal, prévue pour entrer dans le vagin sans l'irriter ni le blesser, peut servir. Trop mince, cela distendrait trop peu le vagin. Bien des femmes utilisent un « vibromasseur » du type vendu dans les sex-shops. Si le yoni est trop sec, humectez le pseudo-lingam soit avec de la salive, soit avec un gel gynécologique vendu en pharmacie, mais *jamais* avec un corps gras. Le cylindre étant inséré dans le vagin, il est facile de sentir ses muscles et de s'y concentrer.

L'exercice se fait, évidemment, couchée sur le dos. L'objet étant en place dans le vagin, contractez au maximum les deux sphincters anaux pour enserrer puissamment le pseudo-lingam. Tenez cette contraction, qui impliquera de plus en plus de muscles de la région ano-génitale, pendant six secondes (au moins), souffle bloqué à vide, puis réinspirez et relâchez ces muscles. Après trois ou quatre respirations normales, refaites mula bandha, souffle bloqué à poumons pleins cette fois. Le tout forme un cycle à répéter à volonté.

Variante : inspirez, puis faites mula bandha pendant trois secondes, expirez en relaxant les muscles pendant trois secondes, réinspirez, refaites mula bandha pendant trois secondes et ainsi de suite.

La durée totale est de trois minutes environ, sauf si la fatigue vous gagnait avant cela. L'important, c'est la régularité : la petite dose quotidienne vaut mieux que de longues séances sporadiques.

Bientôt, les muscles s'étant fortifiés, lors d'un rapport concret, vous pourrez inaugurer votre faculté nouvelle, éventuellement en réservant la surprise à votre partenaire.

Certaines femmes — dommage que ce soit la minorité ! — ont la chance d'avoir spontanément ce contrôle vaginal. Tant mieux pour elles, mais cela ne les dispense pas de fortifier leurs muscles vaginaux qui ne sont jamais trop puissants.

L'idéal, c'est la pratique quotidienne : la cantatrice vocalise tous les jours. C'est une simple habitude à prendre !

Manipuler l'objet

Après avoir fortifié les muscles du vagin, apprenez à manipuler l'objet pour acquérir le contrôle total du yoni. J'écris « manipuler » car, en effet, le yoni doit devenir fort et habile comme la main d'une *gopi* (vachère) trayant... un pis de vache : comparaison explicite employée par Alex Comfort, cité plus haut !

Pour acquérir cette faculté, un contrôle visuel s'indique. Ici, la canule est utile : dans le bout libre qui dépasse du vagin, introduisez une tige de vingt centimètres environ dont les mouvements vous permettront de *voir l'effet* des contractions vaginales. Au début, les contractions rythmées du premier exercice la feront bouger d'avant en arrière puis, avec de l'exercice, latéralement. Enfin, le grand art consiste à faire tourner la tige dans le sens des aiguilles d'une montre, puis en sens inverse. S'il n'est pas indispensable d'aller jusque là, cela indique jusqu'où les exercices peuvent mener.

En Occident, toute femme qui leur accordera ne fût-ce que cinq minutes par jour, acquerra bientôt une puissance et un contrôle inespérés.

Le jeu vaut vraiment la chandelle car, outre que ces exercices peuvent transformer la vie d'un couple, ils conservent ou redonnent à toute femme, même ménopausée, un vagin de jeune shakti, souple, musclé, bien lubrifié, ce qui est très appréciable et apprécié !

Question : Ne peut-on s'exercer *sans* accessoire ?

Réponse : Dans une certaine mesure, oui, mais *avec* un objet c'est bien plus efficace. En effet, il joue le rôle des haltères en culture physique, dont le poids fortifie les muscles. Pareil pour l'anneau vaginal. Pour le fortifier, il faut : a) le distendre ; b) lui offrir une résistance. C'est le double rôle de l'accessoire.

Les contractions, plus la concentration mentale, attirent un riche afflux de sang et d'énergies subtiles (prâna) dans les organes génitaux : excellent pour l'équilibre hormonal du système génital dont tout l'organisme bénéficie.

Ces exercices produisent souvent des sensations agréables : ce n'est pas le but recherché, mais où est le mal ?

Discrets, ils peuvent se pratiquer n'importe quand, n'importe où, même... dans le métro ! Sans accessoire, faut-il le dire ? Il y a cependant deux moments privilégiés : le soir, au lit, avant de s'endormir, et le matin, juste après le réveil, également au lit, pendant que votre mari prépare le petit déjeuner ?

Peaufiner le contrôle vaginal

Les exercices ci-dessus dotent déjà toute femme un peu persévérante d'un yoni souple, musclé, contrôlé. Les suivants lui permettent de se perfectionner dans cet « art » qui ne doit pas rester l'apanage exclusif des shaktis tantriques ou autres Orientales.

Selon l'*Ananga-Ranga* : « Dans certaines races, les muscles constricteurs du vagin sont bien exercés. En Abyssinie, par exemple, la femme peut les contracter si fort qu'elle peut faire mal à l'homme. Etant à califourchon sur les cuisses de son partenaire, elle peut provoquer l'éjaculation sans bouger d'autres parties du corps. De telles artistes sont appelées *Kabbazah* par les Arabes, ce qui signifie littéralement « ce qui serre », et il n'est pas surprenant que les marchands d'esclaves paient des sommes importantes pour de telles femmes.

» Toute femme dispose, à un degré variable, de ce pouvoir mais elle le néglige souvent complètement ; en effet, de nombreuses races n'en ont même pas connaissance.

» [...] Pour donner du plaisir à son mari, elle doit toujours s'efforcer de serrer son yoni jusqu'à ce qu'il enserre fermement le lingam, comme avec une main, l'ouvrant et le refermant selon son bon plaisir. Cela s'acquiert par une longue pratique, plus spécialement en projetant sa volonté et sa pensée dans cette partie du corps, à la manière de celui qui écoute un bruit très faible ».

Grâce aux exercices précédents, la shakti acquiert le pouvoir de contracter ou de détendre les muscles du complexe ano-vaginal, mais en bloc. Les exercices suivants vont permettre de dissocier muscle par muscle tout le travail vaginal, périnéal et abdominal.

Déjà dans les exercices précédents, mula bandha implique les muscles releveurs du vagin, ancrés au pubis, dont les fibres longent la vulve jusqu'au clitoris qui peut ainsi entrer en érection comme un lingam, son homologue. Le travail sélectif des muscles vaginaux que nous allons décrire, complète celui du transverse du périnée, ce mini-pont de chair entre l'anus et la vulve. C'est d'ailleurs là, plus qu'à l'anus, que se situe *muladhara chakra*, le chakra-racine, un des grands nœuds vitaux du corps.

Au passage, notons que les muscles du bas-ventre soutiennent, eux aussi, l'action des muscles vaginaux et c'est une raison supplémentaire pour tonifier la sangle abdominale.

Comme une main de gopi

La shakti va maintenant apprendre à isoler, donc à contracter *séparément* chaque muscle de ce complexe, ce qui n'est pas sorcier, au fond.

Son premier objectif sera de dissocier rectum et vagin pour arriver à ne contracter que ce dernier. Avec un peu de persévérance, cela s'acquiert sans trop de peine. Puis, elle s'exerce à contracter et à relaxer successivement le constricteur de l'entrée du vagin, puis le muscle releveur. Si elle veut contrôler ce travail, elle introduira un doigt dans le vagin : le constricteur l'enserre, tandis que le releveur l'attire vers l'intérieur.

Quant aux muscles vaginaux proprement dits, le fin du fin consiste à faire se propager la contraction, niveau par niveau, comme une vague, de bas en haut, de haut en bas. Dès lors, la comparaison avec la main de la gopi prend tout son sens. Même sans avoir trait soi-même une vache, chacun sait que les doigts se referment l'un après l'autre sur le pis, ce qui fait gicler le lait chaud dans le seau : le travail des muscles du vagin doit devenir pareil !

Pour cela, on contracte d'abord à fond le releveur du vagin (de préférence après y avoir introduit l'objet cylindrique), puis on le *relaxe étage après étage* en partant du col de l'utérus. Puis, on inverse le mouvement : à partir de l'entrée du vagin, on le contracte, segment après segment, de bas en haut.

Cela se fait d'abord lentement, bien sûr, puis ce travail devenant familier, il se propage harmonieusement, comme

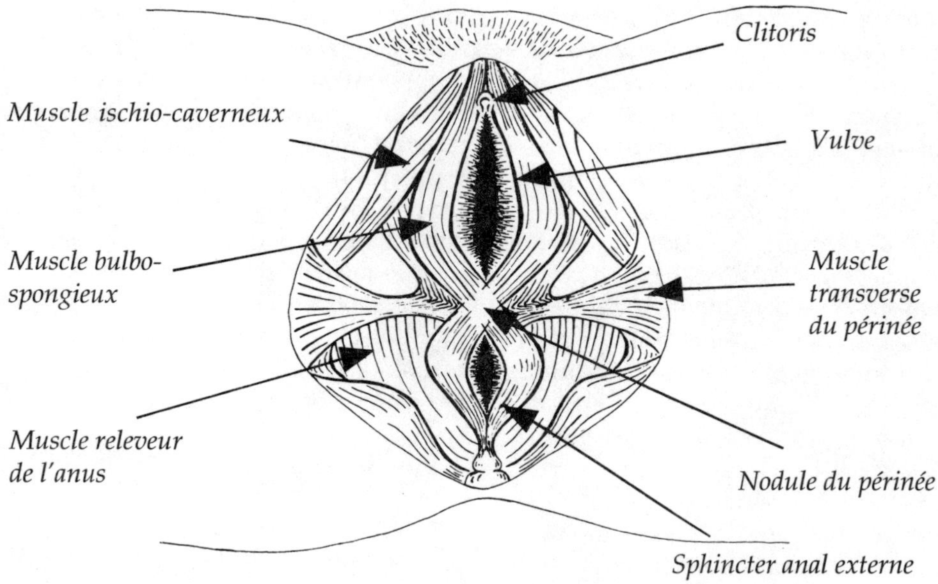

Ce dessin montre clairement la forme en 8 des sphincters de l'anus et de l'entrée du vagin et que le nodule périnéal est un carrefour stratégique pour le contrôle vaginal.

une onde ou comme le blé mûr ondulant dans le vent !

Pendant l'apprentissage « à froid », donc en dehors du maïthuna, jouer ainsi du clavier musculaire vaginal suppose un contrôle conscient et délicat qui, avec l'exercice, devient semi-spontané. Quand, unie au shiva dans le maïthuna concret, la shakti fait ces contractions ondoyantes, elle n'a plus à les commander volontairement, étage par étage : cela se fait presque tout seul. En fait, on reproduit volontairement ce qui surviendrait spontanément au cours d'un orgasme.

De plus, tout en découvrant des voluptés nouvelles, la shakti, devenue experte, aide le shiva à se contrôler. On sait combien la bascule ample et rythmée du bassin féminin conduit au spasme éjaculatoire : bien rare est l'homme qui y résiste... Par contre, grâce à ce « langage secret » perfectionné, donc sans mouvements de va-et-vient du lingam et sans balancement du bassin, le contrôle est bien plus facile tout en ne réduisant pas les sensations réciproques.

En l'aidant ainsi à éviter l'explosion éjaculatoire, elle lui ouvre la voie vers l'orgasme masculin. Si l'onde contractile « trayant » ainsi le lingam amenait le shiva au point-limite, il devrait respirer profondément et lentement dans l'abdomen, tout en relaxant le ventre et les fesses. L'immobilité permet, en outre, à la shakti de mieux suivre l'expérience masculine, ce qui est crucial dans la voie du « fil du rasoir », quand il s'agit d'éviter « le » mouvement de trop.

Mula bandha debout

Cet exercice se fait debout (avec ou sans objet cylindrique), le poids du corps reposant plus sur les talons, distants de vingt centimètres environ, que sur les orteils afin de mieux relaxer le tronc et les jambes. Les bras pendent le long du corps, mais on peut aussi bien placer les mains derrière le dos, les doigts entrelacés touchant les fesses, dont on perçoit mieux les contractions.

Maintenant, pensez aux rotules qui « regardent », si l'on peut dire, vers l'avant. Puis, sans bouger les pieds, en contractant les cuisses, orienter les rotules au maximum vers l'extérieur, donc les faire « loucher », si l'on peut dire, sans cependant raidir le haut du corps. La contraction des fesses et du bas-ventre engendre un *mula bandha* spontané, qu'il est possible de tenir longtemps tout en respirant normalement.

Puis, en contractant l'entrée du yoni, sentez comme le clitoris est attiré vers le bas. Il est possible qu'il entre en érection : dans ce cas, prenez conscience de sa musculature. C'est au clitoris que le tantra situe le *chakra svadisthana,* le centre vital qui active la *kundalinî,* alors que *muladhara,* le chakra-racine, est situé au périnée. *Mula bandha* stimule toute la zone.

La prise de conscience des muscles du clitoris permet de les isoler, de les contrôler séparément et d'intensifier leurs contractions. Continuez ainsi pendant une minute environ, puis relaxez-vous et, toujours debout, observez l'écho de l'exercice dans la zone génitale, surtout au niveau du clitoris.

Cet exercice, qui tonifie tout le plancher pelvien et le bas-ventre, peut être répété à volonté, plusieurs fois dans la journée. Discret, il pourrait même se pratiquer en public, ce qui n'est pas le cas du suivant...

... le « hoola hoop »

Toujours debout, il consiste à faire décrire des mouvements circulaires au bassin, donc à faire une espèce de « danse du ventre ».

Ecartez maintenant les pieds d'au moins trente centimètres et tournez-les vers l'extérieur, à la Charlot, puis pliez les genoux pour abaisser le bassin d'une vingtaine de centimètres, pas plus. Placez les mains aux hanches.

Dans cette position mi-assise, mi-debout, le bas-ventre étant contracté, le bas du dos relaxé, faites décrire au bassin un cercle aussi ample que possible, comme avec un cerceau de hoola hoop. Pendant tout l'exercice, le buste et la tête restent immobiles : tout se passe sous la taille.

Au début, on décompose le mouvement en quatre temps séparés :

1. repousser d'abord le pubis vers l'avant et vers le haut, en basculant le bassin ;
2. puis pousser la hanche vers la gauche ;
3. propulser le postérieur vers l'arrière ;
4. enfin, la hanche est poussée à droite.

Enchaînés, ces quatre mouvements constituent une rotation complète du bassin. Faites ainsi trois tours complets dans un sens puis trois dans l'autre, après quoi revenez à la station debout, les pieds toujours écartés.

Reposez-vous un peu, respirez calmement et observez vos réactions, surtout au plancher pelvien, puis refaites un cycle de deux fois trois rotations, et ainsi de suite, à volonté.

Cet exercice mobilise bien le bassin et augmente l'efficience sexuelle. Les nerfs émergeant de la colonne lombaire sont stimulés et tonifiés, ce dont bénéficie tout l'appareil génital féminin.

A raison de trois minutes par jour, il fortifie et affine les cuisses et contribue à gommer les placards cellulitiques, surtout la fameuse « culotte de cheval ». Dans le Madhya Pradesh notamment, les Indiennes des tribus ont un bassin très mobile parce que leurs danses érotiques comportent ces mouvements de rotation. Plus prosaïquement, le « hoola hoop », effectué en souplesse, combat la constipation, ce fléau moderne.

Le muscle antifrigidité

Mary Cool (nom inventé, mais cas réel), citoyenne U.S., 42 ans, s'estimait bel et bien « frigide ». Au palmarès : vingt ans de mariage, jamais d'orgasme, une sexualité limitée à quelques brefs rapports par an — oui par an. Et décevants : dans le « meilleur » des cas, elle n'éprouvait pas grand-chose, dans les autres cas, son vagin, d'une sécheresse saharienne, rendait le rapport désagréable pour le couple. Bref, un beau cas de frigidité, apparemment irrémédiable.

Autre malchance qui, en fait, cachait sa chance, elle souffrait d'incontinence urinaire. Quant la pression dans le ventre montait brusquement, par exemple en éternuant ou en toussant, elle mouillait plus son slip que son mouchoir ! Pareil en soulevant un poids ou en courant. Pas drôle ! Piètre consolation pour elle d'apprendre qu'une femme sur deux connaît ce problème à l'un ou l'autre moment de sa vie, surtout en prenant de l'âge.

Après sept ans, elle en eut assez et envisageait de se faire opérer quand une amie lui apprit que le docteur Arnold Kegel, gynécologue, évitait la chirurgie en rééduquant le muscle pubococcygien qui relie le pubis au coccyx. Arnold Kegel est aussi l'inventeur du « périnéomètre », appareil composé d'un cylindre en caoutchouc couplé à un manomètre. Le cylindre étant dans le yoni, quand la femme contracte son vagin aussi fort qu'elle peut, le manomètre indique gentiment la pression obtenue et, plus tard, les progrès.

La première consultation révéla une atrophie des muscles vaginaux, très distendus : l'aiguille du manomètre resta obstinément au zéro absolu. Mary Cool ignorait qu'on pouvait fortifier ces muscles, mais après seulement six semaines d'entraînement, l'aiguille du périnéomètre montait déjà à 12 mm/Hg. Après trois mois, l'énurésie était oubliée. A la dernière visite, on mesura 22 mm/Hg au manomètre et sa musculature vaginale était bien épaissie et fortifiée.

Rougissante mais souriante, Mary dit au docteur son regret de n'avoir pas su vingt ans plus tôt qu'on pouvait contrôler et fortifier ce muscle. Elle lui dit aussi qu'elle et son mari avaient maintenant plus de rapports par semaine qu'autrefois en un an, c'est-à-dire plusieurs ! Elle lui avoua même avoir vécu — grande première —, un orgasme. Pensez donc !

En conclusion : a) il n'est jamais trop tard et b) une femme réputée frigide est, en fait, une sensuelle qui s'ignore. Hélas ! tant de Mary Cool, resteront de glace, faute de le savoir...

Quant au docteur Kegel, fort des résultats imprévus mais heureux de son traitement anti-énurésie, en 1951 il a publié un article consacré à la fonction sexuelle, dans lequel il conseille, avant tout, d'examiner les muscles vaginaux des soi-disant frigides, surtout le pubococcygien. Dans des centaines de cas, il a établi le rapport direct entre l'absence de sensations sexuelles et l'atrophie plus ou moins prononcée de ce muscle. Vice versa, il a constaté que les femmes sexuellement épanouies ont, en général, un vagin musclé, ferme, élastique, qu'elles ignorent pratiquement l'énurésie et qu'elles ont très peu de problèmes gynécologiques.

C'est logique : la muqueuse vaginale est *très peu innervée, donc très peu sensible,* contrairement aux muscles vaginaux. Si ces derniers sont atrophiés, lâches et peu conscients, les sensations sexuelles en seront réduites d'autant. De plus, à la ménopause, tant de femmes manquent d'estrogènes et la muqueuse vaginale devient mince et sèche. Le tantra, grâce aux contacts fréquents et prolongés, a souvent réveillé la lubrification vaginale chez des femmes ménopausées depuis longtemps, ce qui fait supposer que leurs hormones sont à nouveau sécrétées en quantité suffisante, ce qui peut aussi leur éviter l'ostéoporose, sans devoir prendre d'hormones artificielles.

Tout ce qui précède a pour but de vous « vendre » les pratiques tantriques destinées à fortifier votre muscle pubococcygien, sans l'emploi du périnéomètre !

Si les exercices précédents concernaient les *sphincters et les releveurs* de l'anus et du vagin, les suivants visent à fortifier ce fameux *pubococcygien,* dont l'illustration montre qu'il forme l'essentiel du plancher pelvien. Reliant le pubis au coccyx, il ressemble à un hamac qui serait percé de trois orifices : l'anus, le vagin, l'urètre.

Premier exercice

Posez sur le sol une carpette ou un plaid roulé serré et asseyez-vous à califourchon sur ce gros boudin, donc agenouillée. Veillez à ce que la vulve et le coccyx soient en contact ferme avec le boudin : cela facilite la prise de conscience du pubococcygien et, de plus, on sent les effets de l'exercice.

Les mains serviront de périnéomètre ! La gauche se faufile par devant entre le rouleau et la vulve qu'elle coiffe. Si vous êtes nue, insérez le majeur, ou le majeur et l'annulaire, dans le vagin.

La main droite, elle, se glisse derrière le dos : le majeur presse l'espace compris entre le coccyx (qu'il faut toucher) et l'anus. Autrement dit, le majeur gauche est dans la vulve, le droit au coccyx.

Vous voilà prête à pratiquer. Les yeux sont clos pour mieux vous concentrer. Inspirez profondément, puis videz les poumons à fond, bloquez le souffle et contractez *au maximum* le muscle-hamac jusqu'à faire vibrer tout le plancher pelvien. Sous le majeur de la main droite, il faut sentir bouger le coccyx, attiré vers l'avant. La main gauche sentira réagir la vulve et le majeur inséré dans le vagin sera enserré. A ce stade, il est normal de contracter simultanément le pubococcygien, les fesses et les sphincters de l'anus : la dissociation viendra plus tard. Pour l'instant, l'essentiel c'est de fortifier.

Quand la rétention du souffle cesse d'être agréable, réinspirez, puis relâchez le plancher pelvien. Reposez-vous, le temps de faire deux ou trois respirations normales, puis recommencez (dose moyenne : cinq fois).

Cet exercice peut aussi se faire assise sur une chaise, rembourrée de préférence, pour qu'il y ait un bon contact entre la vulve et le siège. S'il n'y a pas de témoins gênants, placez les mains comme indiqué... Sinon, cela peut se faire discrètement, mais sans les mains on suit moins bien le déroulement de la pratique.

Des fesses fermes et musclées

En plus du pubococcygien, des fesses fermes et musclées sont un atout sexuel important pour la shakti.

L'exercice est simple : assise au sol en tailleur — éventuellement en lotus —, sinon sur une chaise, videz les poumons à fond, bloquez le souffle et durcissez au maximum les fessiers. Quand la rétention cesse d'être agréable, réinspirez et détendez les fesses. Après quelques respirations normales, refaites pareil quatre ou cinq fois.

Plus tard, exercez-vous à contracter *séparément* le pubococcygien et les fessiers. Plus tard aussi, vous ferez l'exercice en continuant à *respirer normalement*, ce qui permet d'augmenter la durée et la puissance des contractions.

Règle : le repos doit prendre environ deux fois le temps de la contraction.

L'étape suivante consiste à contracter et à relaxer ces mêmes muscles *plusieurs fois de suite et très vite.* En plus de leur usage tantrique, ces exercices épargnent bien des problèmes gynécologiques, surtout après un accouchement et à la ménopause.

Les fesses, très importantes pour l'efficience sexuelle masculine ou féminine, contribuent pour beaucoup au sex-appeal féminin. Parmi les procédés éprouvés, je cite les ballerines d'antan qui se glissaient entre les fesses un disque épais d'un demi-centimètre et d'un diamètre de cinq centimètres. A défaut, une gomme d'écolier fait l'affaire.

L'exercice se pratique debout. Le disque étant en place entre les fesses, inspirez à fond, bloquez le souffle et avec les fessiers pincez fort le disque (ou la gomme), puis basculez le bassin en poussant le pubis vers l'avant et vers le haut. Tenir aussi longtemps que c'est confortable, puis videz les poumons. Repos, relax. Répéter cinq fois. Peut éventuellement se faire sans accessoire.

Des cuisses minces

Des cuisses minces et musclées sont un atout sexuel majeur pour les tantriques des deux sexes.

Plantez-vous debout, les pieds écartés de trente centimètres environ, placez le poids du corps sur les talons. Inspirez, puis bloquez le souffle ; pendant la rétention, pivotez sur les talons pour orienter les orteils le plus loin possible vers l'extérieur, à la Charlot. En même temps, basculez le pubis vers l'avant et vers le haut et contractez respectivement les muscles releveurs de la base du lingam ou du vagin. Tenir aussi longtemps que possible, puis videz les poumons et relaxez tous ces muscles. Répétez de trois à cinq fois.

Le même exercice se fait en portant le poids du corps sur les orteils et en pivotant les talons (soulevés du sol) vers l'extérieur pour fortifier les autres muscles des cuisses.

Exercice en couple

Le couple tantrique indien Arvind et Shanta Kale proposent l'exercice suivant : « Les partenaires s'installent face à face, chacun sur un tabouret, à une distance telle qu'ils puissent s'enserrer mutuellement les genoux. En se tenant par les épaules, le partenaire dont les genoux sont emprisonnés veut les écarter, l'autre au contraire veut l'en empêcher. Serrer au **maximum,** comptez jusqu'à six, puis relaxez-vous et inversez les rôles. Augmentez progressivement la durée de l'exercice jusqu'à cinq minutes au total. Une fois par semaine suffit ».

Le périnée, carrefour stratégique

Un peu rébarbatifs, les détails anatomiques sont pourtant nécessaires pour bien comprendre et exécuter les exercices, surtout ceux qui concernent le périnée.

« Officiellement », le périnée englobe tous les tissus mous qui colmatent l'ouverture inférieure du bassin, donc une zone assez étendue, que je préfère appeler *plancher pelvien,* pour éviter toute confusion. Entre nous, convenons « officieusement » que périnée = *corps périnéal.* Son nom latin, *centrum tendineum,* en donne une idée inexacte car, constitué de tissu fibreux et de muscles, il n'est pas un tendon. Pour mieux le localiser, voir les fig. p.394, 395 et 423.

Sa situation entre l'anus et le yoni, respectivement entre l'anus et le bulbe, à la racine du lingam, en fait un vrai Gibraltar tantrique : tous les muscles génitaux majeurs (huit !), plus des fibres musculaires du rectum et de l'anus y convergent et s'y imbriquent. C'est vraiment un *nodule,* compact comme un nœud bien serré. L'accouchement le malmène et les lésions y sont fréquentes : s'il n'est pas réparé par le chirurgien, le releveur de l'anus peut béer dans le plancher pelvien.

Cet accident, car c'en est un, s'appelle *cystocèle* — hernie de la vessie saillant dans le vagin —, souvent « agrémenté » du prolapsus de l'utérus, voire même des ovaires et du rectum. L'exercice suivant fortifie les muscles génitaux et réduit fort ce risque, tout en apportant beaucoup sur le plan tantrique.

Voici comment procéder. Installez-vous à genoux sur ou entre les talons ou simplement sur une chaise. Fermez les yeux et oubliez temporairement les sphincters de l'anus et son releveur, ainsi que les muscles du yoni et limitez votre concentration au nodule, au périnée. Quand vous y serez bien intériorisée, sans hâte, contractez successivement et *concevoir* tous les muscles reliés au périnée comme autant de rayons. Serrez à fond tout le plancher pelvien jusqu'à ce qu'il vibre, puis durcissez les muscles du bas-ventre, mais *non* les fesses, ni les cuisses, ni le bas du dos. Respirez normalement et restez ainsi contractée le plus longtemps possible. Au début, ce ne seront que quelques secondes mais, avec un peu de pratique, vous tiendrez facilement une minute et plus.

Retenez que, dans cet exercice, la contraction se propage à partir du nodule périnéal, *concentriquement* et *progressivement,* à tout le plancher pelvien.

La seconde partie de l'exercice commence... quand vous ne pouvez plus tenir confortablement la contraction ! Ne lâchez pas prise d'un seul coup : laissez la tension se dissoudre graduellement en sens inverse, c'est-à-dire de la périphérie vers le point de départ, le périnée.

Ensuite, relaxez ces muscles et continuez à diriger la pensée dans toute la zone en étant attentive aux sensations perçues (chaleur, pulsations, vibrations subtiles, etc.), grâce à quoi le prâna, l'énergie vitale, y afflue. Cette phase de relaxation et d'intériorisation est au moins aussi importante que la phase contractile, car c'est alors que l'énergie vitale, activée par les exercices est redistribuée dans toute la zone génitale.

Une contraction suivie d'une relaxation poussée constituent un cycle. L'exercice complet en comprend au moins trois. Se pratique n'importe où, n'importe quand et concerne le shiva autant que la shakti.

Ces exercices, qui visent directement le maïthuna dont ils assurent la plénitude, ont cependant une valeur absolue : ils sont utiles à tous, même en dehors de tout rapport sexuel, car ils attirent l'énergie vitale vers les gonades : ainsi tonifiées, elles produisent un surplus d'hormones de rajeunissement. Les effets sont cumulatifs, c'est-à-dire qu'ils s'additionnent et s'intensifient avec le temps, ce qui devrait encourager leur pratique quotidienne !

7
Le tantra dans notre monde

Initiation tantrique en Occident

L'initiation tantrique en Occident pose un problème qu'exprime la lettre suivante : « Fort intéressée par le tantra, j'ai lu une abondante littérature sur ce sujet et je considère cette façon d'être et de penser comme la plus audacieuse qui soit. Pourtant, je ne me suis jamais mise en quête d'une initiation, craignant que l'image de marque de « yoga sexuel » véhiculée en Occident au sujet du tantra et identifiant celui-ci à un ensemble d'acrobaties lubriques, ne donne naissance à trop de charlatans.

» Aussi, je me permets de vous demander où je pourrais aborder cette pratique avec sérénité, ou rencontrer des gens dignes de confiance. »

Je lui ai répondu que je n'étais pas en mesure de lui indiquer une telle adresse. En fait, le problème existe déjà, mais il s'amplifiera dans la mesure où le tantra gagnera du terrain. A cause de la réputation de lubricité faite aux tantriques par leurs ennemis, à cause aussi de la discrétion des vrais tantriques, des individus louches, sous le couvert du tantra, se livrent — et se livreront — à des pratiques plus que douteuses. Et cela même en Inde, car les authentiques gourous tantriques y sont rares et, de plus, l'hostilité environnante les refoule dans l'ombre. Inconnus du public, leur approche est très difficile.

Cette situation est-elle sans espoir ? Non, car je crois qu'il est possible de transmettre par l'écrit l'essentiel de la pensée et des pratiques du tantra, sinon pourquoi ce livre ? Un ouvrage sérieux me semble — et de loin ! — préférable à une pseudo-initiation par de pseudo-tantriques. Il existe de bons livres sur le tantra — voir la bibliographie — mais, hélas ! dès qu'il s'agit de pratique concrète, ils deviennent muets, ce qui, à tout prendre, vaut mieux que de publier des balivernes !

Notez que je comprends la réserve de ces auteurs et j'ai longtemps hésité avant de publier ce que j'ai pu glaner et rassembler au fil des années. Puis, j'ai pensé que continuer à me taire ferait le jeu des pseudo-tantriques. Une information correcte est, je pense, la meilleure parade contre les faux gourous actuels et à venir et elle permet déjà d'aller très loin dans la voie tantrique sans autre aide.

Néanmoins, quand un nombre suffisant d'adeptes sérieux seront prêts, dans le silence et la discrétion, l'initiation *complète* et concrète deviendra possible. A ce sujet, quelques règles immuables accompagnent toute initiation authentique : celle-ci est toujours individuelle, donc jamais d'initiations en série, et elle n'est donnée qu'après une minutieuse préparation physique et psychique s'étalant souvent sur plusieurs années. Et le tout dans un contexte spirituel authentique.

En somme, vous posez le problème du gourou qui, dans le tantra, joue un rôle plus crucial encore qu'en yoga.

Gourou et disciple

Depuis toujours, le gourou a été le pivot du tantra et, surtout dans la Voie de Gauche, sa relation avec le disciple atteint une intensité et une intimité que seuls peuvent comprendre ceux qui l'ont vécue. Comme pour les fraises, à quoi bon en parler : en manger une seule en apprend plus sur leur goût que tous les traités du monde. Toutefois, s'il est impossible de transmettre l'expérience elle-même, la décrire aide à distinguer le vrai gourou tantrique des pseudo-gourous.

L'affirmation « quand le disciple est prêt le gourou paraît » est littéralement vraie. Mais l'adage opposé est tout aussi vrai : « Quand le maître est prêt le disciple paraît ». Leur rencontre, imprévisible, est un événement marquant dans leur vie, aussi indélébile qu'un tatouage. Notons que, dans le tantra, gourou et chela sont souvent de sexe opposé et que « le » gourou peut tout aussi bien être « une » gourou(e) !

Ni le disciple, ni le gourou ne partent à la recherche l'un de l'autre : ils attendent que « cela » se produise. Cet improgrammable « cela » échappe au hasard qui règle la plupart des rencontres humaines. A bien des égards, leur rencontre ressemble au coup de foudre amoureux, en ce sens qu'ils se reconnaissent d'emblée. A quoi ? Question sans réponse : c'est ainsi, et cela suffit. Eux savent. Leur rencontre, mystérieusement ressemble plus à des retrouvailles qu'à une découverte. Elle crée d'emblée entre eux un lien inéluctable, définitif et chargé d'émotion : « après » plus rien n'est comme « avant ».

Le gourou tantrique est tout à la fois un instructeur, un maître, un dépositaire de la tradition, un guide qui dissipe les doutes, qui transmet un enseignement et des techniques, qui dirige la pratique. Le disciple s'est, le plus souvent — mais pas obligatoirement —, préparé de longue date à cette rencontre par la pratique de techniques yogico-tantriques, sous la direction de divers instructeurs .

La réciprocité de leur relation produit une catalyse psychique. Ce que ni l'un, ni l'autre ne pouvait réaliser isolé, séparé, se produit par leur présence réciproque. Ce n'est, en aucun cas, un rapport de subordination, ni même celui qui existe entre un maître qui sait, enseigne, domine et un élève appliqué, soumis. Le gourou n'exploite jamais ses disciples, cette exploitation étant d'ailleurs une caractéristique des pseudo-gourous. Ce rapport n'est pas non plus à sens unique, l'un donnant l'autre recevant. Le gourou reçoit au moins autant qu'il donne, au point qu'il est parfois malaisé de distinguer lequel des deux est gourou, car c'est sans rapport avec le sexe, la compétence, l'âge ou les années de pratique.

Cette relation dépend d'une condition essentielle : *pratiquer ensemble* et leur relation gourou-chela leur est souvent révélée par le fait que, parfois dès les premières séances de pratique, des réactions spectaculaires se déclenchent, par exemple, un éveil d'énergies nouvelles (kundalinî). Chez la shakti, cela peut être ce qu'à défaut d'un terme plus adéquat on nommerait « orgasme ». Par la magie de cette catalyse réciproque, en peu de temps, des niveaux d'expérience et d'états de conscience peuvent être atteints, auxquels d'autres tentent vainement d'accéder, même au prix d'une longue et rigoureuse ascèse. De plus, leur relation est définitive : un « divorce » n'existe pas.

La relation gourou-chela implique souvent, s'ils sont de sexe opposé, des relations sexuelles concrètes, d'une intensité souvent extraordinaire comparée aux expériences ordinaires. Souvent aussi, ils vivent séparés et peuvent ne se rencontrer physiquement qu'à de rares occasions. Entretemps, ils poursuivent chacun et indépendamment, une vie sexuelle riche avec leur partenaire habituel(le), tantrique ou non, sans qu'aucune jalousie ne soit ressentie. La relation gourou-chela, loin de détruire un couple éventuel, peut, au contraire, le fortifier et l'enrichir. Paradoxal ? Inadmissible ? Selon nos concepts peut-être, mais que valent-ils ? Sont-ils absolus et universels ? Quelle que soit la réponse, il n'est demandé à personne de partager cette vision des choses .

Tout ce qui caractérise la relation amoureuse usuelle (possessivité, jalousie, etc.) n'existe pas entre eux et ils forment une entité qui ressemble fort au rapport entre des jumeaux. Mais, j'y pense, n'est-ce pas ce jumelage spirituel qui rend leur relation indissoluble ? Même de longues périodes de séparation physique sont exemptes de tristesse. Leur relation transcende le temps et l'espace. Dans leur méditation quotidienne, ils se rejoignent sur le plan subtil mais, même sans méditation et sans en prendre conscience, leurs psychismes demeurent en rapport constant, peut-être même au-delà de la mort. Qui sait ?

Cette rencontre est exceptionnelle, mais elle existe. Parfois gourou et chela vivent à proximité l'un de l'autre pendant de nombreuses années, l'évolution de l'un retentissant sur celle de l'autre, grâce à la mystérieuse catalyse évoquée plus haut.

Tout ce qui précède implique que le gourou tantrique n'a et ne peut avoir que très peu de vrais chelas ; sa relation avec chacun(e) sera fort différente. Par conséquent, le gourou tantrique n'a ni un très grand ashram, ni une cohorte de disciples. Souvent même il est inconnu en tant que gourou. Parfois, de nombreux adeptes le suivent et l'écoutent, mais, parmi eux, très peu de vrais chelas...

La conclusion est simple et, apparemment, peu encourageante : fort peu de cherchants ont la chance de rencontrer un gourou, pardon, *leur* gourou, pas seulement en Occident mais aussi en Inde. Alors, pas d'espoir pour eux ? Le cherchant sincère trouve toujours assez d'indications et d'aide pour pouvoir suivre sa voie avec succès. Un gourou est une aide précieuse, irremplaçable, mais pour celui qui a un vrai désir, il y a toujours le gourou suprême, le Soi, qui est son essence subtile.

Se gourer de gourou ?

Gare aux gourous gobeurs de gogos : notre naïveté fait leur force et, croyez-moi, ils sévissent déjà en Occident, promettant monts et merveilles. On les gobe parce qu'ils sont Indiens et se parent de noms ronflants. Mais, avez-vous remarqué qu'ils se gardent bien de promettre qu'en l'espace d'un bref week-end, ils rendront n'importe qui, à n'importe quel âge, souple comme une liane ? Tout simplement parce que chacun sait qu'une colonne rigidifiée ne s'assouplit pas en un tournemain.

Par contre, ils ont le front de garantir, en quelques heures, qui l'éveil de la Kundalinî, qui l'ouverture des chakras, qui le samadhî, toutes choses, en fait, bien plus ardues que des acrobaties corporelles : pour y accéder, les adeptes indiens s'astreignent à une longue pratique, guidés par un vrai gourou. Et on les croit. Et on marche. Et on paie le (gros) prix. Voici la recette infaillible : à un peu de décorum vestimentaire, ajoutez une pincée de charisme, incorporez un ou deux petits trucs — connus de tous les hypnotiseurs de foire — servez avec un peu de publicité et on peut ainsi provoquer, effectivement en peu de temps, des effets qui surprennent un mental non averti.

Sans valeur, ni signification tantrique, ces trucs peuvent néanmoins détraquer un mental fragile et, en cas de dégâts (qu'on ne découvre qu'à retardement), ne comptez pas sur eux pour le service après vente : ils s'en balancent. D'ailleurs, le grand maître est déjà reparti vers d'autres horizons, sous d'autres cieux, plumer d'autres pigeons, qui sont souvent des pigeonnes. Conclusion : le scepticisme et la méfiance totale sont de rigueur vis-à-vis de ces « gourous » voyageurs.

A propos, en Inde, un certain gourou s'est rendu célèbre en « matérialisant » en public toutes sortes d'objets : des bagues, des pièces de monnaie, des bijoux et que sais-je encore. Moyennant quoi, il passe pour un grand maître spirituel et a d'innombrables adeptes. Aucun, semble-t-il, ne se dit qu'on voit pareil dans n'importe quel music-hall. Mais, sous le ciel indien, ça impressionne... Pour ma part, j'aurai foi en ses pouvoirs « surnaturels » quand, au lieu de *petits* objets, il matérialisera devant moi une belle locomotive à vapeur, par exemple... Ou un paquebot. Mais, même cela ne suffirait pas pour qu'il soit mon gourou ! Un vrai gourou n'a pas besoin de faire du spectacle pour ses adeptes.

Que ces pseudo-gourous se rassurent : en dépit de toutes les mises en garde, ils disposeront toujours d'une réserve inépuisable de gogos, chez nous comme en Inde. Mais, au moins, je dormirai en paix de ne pas m'être fait leur complice en me taisant.

Vous ai-je déjà révélé le nom de mon gourou favori ? Il s'appelle Sa Sainteté Mahârishi Yogirâja Bonsensanandadji. Je le consulte souvent, car il est de bon conseil mais, hélas, peu de gens s'adressent à lui, ce qui est le propre des vrais gourous. Alors, est-ce parce que ses conseils sont rarement romantiques, ou — ce qui est bien pire ! — parce qu'ils sont gratuits ?

Un rituel pour l'Occident

Me voici devant la tâche délicate de proposer un rituel tantrique aux Occidentaux que nous sommes, un rituel qui soit à la fois authentique, adapté à notre style de vie et qui respecte nos convictions, religieuses notamment. Pour ce dernier point, pas de problème car, si le tantra est un culte, il n'est pas une religion, et un rituel n'est pas une « messe » païenne, mais bien la répétition d'actes *significatifs* destinés à nous libérer du train-train quotidien pour accéder aux réalités suprêmes incluses en nous.

Pour fixer les idées, précisons en premier lieu les objectifs du culte. Je retiens d'abord que mon corps est à la fois le sujet et l'objet du culte tantrique, le corps en tant que temple, c'est-à-dire lieu privilégié de l'espace où des forces cosmiques sont à l'œuvre. Dans *Shakti and Shakta*, p.433, Arthur Avalon écrit : « Dans le corps sont présentes les énergies suprêmes de Shiva-Shakti qui pénètrent tout ce qui existe. En réalité, le corps est un vaste réservoir de pouvoirs (Shakti). Le but du rituel tantrique est d'éveiller ces énergies afin qu'elles atteignent leur expression la plus complète. » En fin de compte, le tantra me propose d'éveiller mes potentialités latentes, donc d'épanouir ma personnalité, ce qui n'entre en conflit avec aucune religion. A propos du corps et de ses pouvoirs, pensons au chapitre *Mon corps, cet univers inconnu.*

Quant au rituel, il visera, dans un premier temps à faire prendre conscience de ces forces cosmiques réelles et vivantes, présentes en moi comme dans la ou le partenaire, si je pratique en couple, ce qui est très souhaitable. Après avoir pris conscience de cette énergie, il faudra l'éveiller par d'éventuelles pratiques yogiques, telles que le pranayama, par exemple (cf. mon livre *Pranayama, la dynamique du souffle)*, mais *surtout* par le maïthuna tantrique, qui en sera le point culminant.

A première vue, la solution la plus facile serait de décrire l'un ou l'autre rituel tantrique indien, mais il serait bien difficile de le transposer valablement en Occident. Sophistiqués et complexes, ces rituels requièrent d'abord une discipline quotidienne, un environnement favorable, beaucoup de temps, denrée rare en

Occident, mais surtout une initiation sérieuse par le gourou, ce qui n'est déjà pas évident en Inde, a fortiori en Occident. L'autre option consiste à adopter un rituel très dépouillé, ce qui n'est pas synonyme d'amputer. C'est faisable, en remontant à la source afin d'y retrouver la simplicité des origines.

Pour le prouver, je propose une comparaison. En effet, la messe catholique est une cérémonie complexe et, quand il s'agit d'une grand-messe, sophistiquée. Mais, ni la complexité, ni la sophistication n'étaient présentes à l'origine, à la dernière Cène, quand le Christ a partagé le pain et le vin avec ses apôtres et qu'à la fin il leur a dit : « Faites ceci en mémoire de moi ». Partant de ce noyau essentiel, au fil des siècles, l'Eglise a développé la cérémonie qui est devenue la messe actuelle : une messe solennelle en la cathédrale St-Pierre à Rome est bien éloignée de la dernière Cène, sans laquelle elle perdrait tout son sens.

Le tantrisme a fait pareil : autour des choses simples du départ, peu à peu, au fil des millénaires, on a greffé des pratiques, importantes certes, pour aboutir aux rituels sophistiqués actuels, y compris la chakra pûjâ qui dérive des accouplements collectifs des rites de fertilité. Or, sans documents ni témoignages, comment peut-on espérer retrouver la simplicité des origines ? Je crois que la voie est tracée : s'en tenir aux éléments essentiels, avec un minimum de fioritures.

L'essentiel se trouve dans cet extrait du *Kulârnarva Tantra*, VI.56 : « L'adorateur entre dans le rituel quand il accède à l'état de conscience où il perçoit la divinité, où il est vraiment en rapport avec le divin, où il s'offre au divin. Pour cela, il lui faut prendre conscience de son propre état de divinité. » Or, le corps est « divin », c'est-à-dire produit en permanence par l'Intelligence suprême qui le maintient en vie. Cette Intelligence est mon Soi profond, distinct du « moi-je ». Ceci *est* l'essentiel.

Or, je n'ai guère, voire aucun espoir d'y parvenir tant que « moi-je » resterai sur le plan de conscience empirique de veille et c'est ici qu'intervient le rituel, qui ne sera pas quelque chose de rigide, de fixe : chacun, moyennant quelques règles simples, peut se constituer le sien propre.

En théorie, je n'aurais besoin de rien, sinon de m'installer dans une position propre à l'intériorisation, assis, la colonne vertébrale droite, d'observer mon souffle, de rentrer dans mon corps et d'y faire, par exemple, la méditation sur la Vie que je vous ai proposée, jusqu'à ce que j'éprouve que la Vie, présente ici et maintenant dans mon corps, s'est transmise sans interruption depuis l'origine jusqu'à moi. Qu'en fait, « moi-je » *suis* cette Vie qui dépasse mon individualité et que la Vie est en train de « me » vivre.

Toutefois, cette expérience se fait mieux moyennant la réunion d'adjuvants favorables. Et tout d'abord le « où » est important. Ainsi, il faut prévoir un refuge, un endroit dans la maison où elle et lui peuvent s'isoler, si possible uniquement réservé au rituel tantrique. Alors, pourquoi pas la chambre à coucher ?

Dans cette chambre, il s'agit de préserver un coin pour y aménager un petit « autel » privé, mot qui risque d'effrayer le croyant qui craindrait d'y préparer un culte hérétique, autant que l'athée qui pourrait y voir un « truc » religieux. En fait, j'aurais pu écrire « petite table », ce qui n'aurait choqué personne, mais je préfère « autel » qui sous-entend le sacré. Et là, *nous* savons que le sacré existe aussi bien en dehors de tout contexte religieux : la vie est sacrée, la terre est sacrée, la patrie aussi, etc.

Cet autel restera secret : il ne doit pas être « profané » par des regards indiscrets. Il suffit d'une petite table basse, recouverte d'un drap précieux, de la soie, par exemple. Au dessus, on disposera les objets symboliques adéquats. J'en énumère quelques-uns : un yantra, un triangle rouge, avec au centre une bougie qui représente Shiva ou le lingam. Si vous avez ramené d'Inde un vrai lingam, vous pourriez le placer au milieu du triangle rouge. A défaut de lingam ou de statuette de Shiva dansant, une image les représentant peut suffire et je ne m'étendrai pas sur leur symbolisme qui vous est connu.

Il est indispensable que quelque objet représente pour vous le maïthuna cosmique pour prendre conscience que l'Univers est engendré par un acte d'amour, par l'union des principes cosmiques mâle et femelle. Si une autre image symbolique vous plaît, n'hésitez pas à l'y disposer. Si vous n'avez rien de tout cela, imitez les villageois du Sud de l'Inde, pour lesquels une simple pierre dressée symbolise l'union Shiva-Shakti. Alors, dans un récipient, de préférence hémisphérique, mettez un peu de sable (élément Terre) et dressez-y une pierre, par exemple un beau galet ovoïde, qui symbolisera l'Eau et le lingam.

Un vase en forme d'amphore (symbole de l'utérus maternel autant que de l'utérus cosmique), rempli d'eau colorée, symbolise tant l'eau des origines où la vie est née, que le liquide amniotique. Un coquillage évoquerait aussi notre Mère, la mer. Mais surtout il faut des fleurs, aussi humbles soient-elles, car aucune pûjâ ne se conçoit sans fleurs, expressions vivantes du dynamisme créateur universel, symboles de la beauté de l'univers aussi.

En Inde, ce sont les participants eux-mêmes qui dressent l'autel avant le rituel, c'est-à-dire qu'ils touchent et disposent eux-mêmes les objets symboliques : cela contribue à les mettre dans l'ambiance. Symboliquement, ils se sont aussi purifiés, c'est-à-dire douchés, parfumés.

Tout étant en place, il s'agit maintenant de créer l'ambiance. Nécessairement, le rituel se déroulera dans la pénombre : seule, la bougie, qui remplace la lampe à huile traditionnelle, l'éclairera faiblement. Si vous avez pu vous procurer des bâtonnets d'encens indien, allumez-en trois ou quatre : ils créent une ambiance propice. A défaut, du parfum fera l'affaire. Il faut aussi prévoir un fond musical, érotique de préférence, qui ne doit pas nécessairement être de la musique indienne, quoique celle-ci soit parfaite. Tout doit être fait pour créer un climat de beauté, de « luxe, calme et volupté », luxe étant relatif, bien sûr.

Les adorateurs, vêtus si possible de peignoirs légers en soie précieuse, s'assoient, côte à côte, à même le tapis moelleux, face à l'autel. Les genoux peuvent se toucher, ainsi que les mains, pour établir un premier contact physique discret. Puis, en fixant la flamme, qui devrait être stable et courte, ils observent leur souffle et s'imprègnent des objets symboliques présents et de leur signification. Cela ne s'exprimera pas par des mots, par de l'intellectualisation : il s'agit simplement de s'ouvrir aux symboles, de les laisser pénétrer dans l'inconscient qui les décodera.

Quand le mental sera calme, elle et lui se feront face, assis en tailleur, par exemple, les genoux se touchant ainsi que les mains. Ils se regarderont dans les yeux, en se pénétrant de leur présence réciproque et sentiront peut-être le désir s'éveiller. Aucune hâte. Après quelque temps, il déposera entre eux deux le plateau sur lequel aura été prévu de quoi grignoter : biscuits, fruits. Il n'est pas nécessaire de réunir les quatre M de la chakra pûjâ, bien que ce ne soit pas défendu ! Elle partagera cette nourriture, puis ils mangeront en silence en pensant qu'elle deviendra leur propre corps et que nous dépendons du monde extérieur pour survivre.

Vient alors un moment très fort. Dans un bol, qui remplace le crâne tantrique rituel, elle versera le vin rouge, puis en boira lentement une gorgée ou deux, en regardant son partenaire dans les yeux. Puis, elle le lui présentera, et il boira aussi : le bol ira de l'un à l'autre. Quand il sera vide, ils reprendront leur attitude de méditation pendant quelque temps. L'initiative des premières caresses devrait revenir à la shakti. En Inde, on procède d'abord au *nyasa,* c'est-à-dire à l'attouchement de diverses parties du corps dans un ordre bien défini, pour y percevoir, mais surtout pour y éveiller les énergies. C'est, en tous cas, le moment où elle ôtera son peignoir : nue, elle devient le symbole vivant de la déesse des origines, non, elle *est* la déesse incarnée, la Shakti cosmique.

La suite appartient au couple, mais rien ne doit être figé dans une routine, ce qui importe, c'est une approche lente et respectueuse, une écoute réciproque : rien ne doit se faire dans la hâte. Le maïthuna, nous le savons, sera le moment culminant et le plus significatif du rituel et la partie pratique du livre vous apporte les renseignements nécessaires pour en faire une expérience réussie. L'union sexuelle sera une fête à laquelle participeront toutes les fibres, toutes les cellules des corps, la fête de l'unité retrouvée, le retour à l'androgyne primitif, la répétition, en temps réel, de l'acte créateur cosmique, la plongée dans l'ânanda, la félicité.

Ici, tout commentaire s'arrête, seul demeure le vécu.

Le message de Nataraja Gourou

Selon ma mère, je suis né coiffé. C'est, paraît-il, un porte-bonheur et, sans être superstitieux, je commence à le croire.

Pourtant, c'était mal parti. En effet, la fameuse « coiffe-porte-bonheur » à peine ôtée, j'ai été gratifié d'une entérite canon, au point qu'à six mois je pesais autant qu'à la naissance, ce qui a perturbé ma santé et ma croissance jusqu'à mon adolescence et même après. Fluet, de santé délicate, j'étais toujours le petit maigrichon de la classe que les « grands » bousculaient. La guigne ? Apparemment, oui. A la réflexion, non. Par la suite, les tuiles n'ont pas manqué, comme pour tout le monde, semble-t-il.

Ma première veine évidente fut de passer deux années d'études cruciales avec un professeur remarquable qui connaissait à merveille la langue et la littérature françaises, qu'il savait enseigner et faire apprécier. Sans lui, aurais-je pu écrire ce livre et les précédents ?

Je crois aussi que la chance aime se déguiser. Ainsi, la guerre fut une opportunité camouflée en épreuve, dont je suis sorti malade et affaibli, mais c'est précisément cela qui m'a conduit indirectement à la chance de ma vie, celle de découvrir le yoga, de me refaire une santé, puis, plus tard, de découvrir le tantra.

Tout cela, je le dois à trois rencontres « fortuites ». Le premier sage à marquer un véritable tournant dans ma vie, fut ce yogi anonyme de Chidambaram, auquel je dois d'avoir appris à méditer. Ensuite, ce fut swami Sivananda, de Rishikesh, qui m'a initié au yoga physique et mental, puis qui m'a incité à éditer la revue YOGA, que j'écris depuis 26 ans.

Toutefois, ma chance décisive fut de connaître Nataraja Gourou, un être d'exception qui m'a révélé et fait aimer l'autre Inde, « son » Inde, celle des Dravidiens, opprimée par le brahmanisme. Coïncidence : ces hommes sont tous les trois du Sud de l'Inde. Ou plutôt « étaient », car ils ne sont plus de ce monde.

Nataraja Gourou était un des esprits les plus pénétrants de notre époque. Dès sa jeunesse, il était devenu le disciple favori de Narayana Gourou, fondateur d'un mouvement spirituel dans son Kérala natal, regroupant plus de deux millions d'adeptes, et qui voyait en lui son dauphin. En fonction de quoi, il l'a fait éduquer. Nataraja Gourou avait une culture et une mémoire prodigieuses. Il parlait plusieurs langues dravidiennes, plus le sanskrit, l'anglais, le français. Il savait par cœur les principales écritures et traités de philosophie de l'Inde.

Son Maître, qui tenait à compléter sa culture indienne par une éducation à l'occidentale, l'a envoyé étudier en Angleterre. Il a même vécu à Paris et a décroché un titre à la Sorbonne, en français, bien sûr. Puis, il est retourné vivre et enseigner en Inde où il a créé son propre centre dans les Nilgiris, les montagnes bleues.

C'est vers la fin de sa vie que je l'ai rencontré. La pensée tantrique n'avait aucun secret pour lui et nous nous sommes souvent vus, en tête à tête, pendant de longues heures. Il était intarissable. Esprit aussi universel qu'on peut encore l'être à notre époque, il citait, de mémoire et textuellement, aussi bien Teilhard de Chardin que Karl Marx, Shakespeare ou Einstein et abordait les thèmes les plus divers, c'est-à-dire les mathématiques modernes les plus avancées ou la Saundara Lahary.

Il jetait un regard critique sur notre civilisation moderne et je reproduis ce qu'il écrivit en 1967 dans sa revue *Values*, presque confidentielle, qu'il publiait en Inde. Au-delà de la mort, c'est un message qu'il nous confie.

Nataraja Gourou commence son éditorial en citant son propre Maître, Narayana Gourou.

« L'homme parcourt la planète, tel un démon destructeur. Sur sa route, il sème la dévastation. Il élimine les arbres, détruit la beauté de la nature, pour la remplacer par des plantations uniformes ou par des villes puantes et des usines pour assouvir ses désirs sans limites. Non content de détruire en surface, il s'attaque à la croûte terrestre elle-même, qu'il affaiblit par des extractions inconsidérées.

» Il accumule les détritus et sa cupidité ne sera satisfaite que quand il aura détruit toute vie. Cela n'aurait guère d'importance si les méfaits de l'homme ne frappaient que lui seul. Mais, les animaux innocents ainsi que les oiseaux de la forêt ne vivent plus en paix à cause de l'homme. Le reste de la nature lui serait reconnaissant si, dans son processus d'autodestruction, il avait le bon sens de ne détruire que lui-même et de laisser le reste de la création en paix, ce qui est son droit de naissance ».

Sauver la civilisation

Puis Nataraja Gourou enchaîne en évoquant notre planète-poubelle, le béton qui recouvre des millions d'hectares de plus chaque année, la déforestation qui désertifie, la pollution de la terre par les engrais chimiques et surtout par les pesticides, la pollution de l'air et des mers, devenues des égouts à ciel ouvert, où le plancton, générateur microscopique de toute vie marine, est menacé, etc.

Il cite le docteur James Oliver, biologiste à *l'American Museum of Natural History* : « Nous sommes à la veille d'une catastrophe écologique majeure ». S'il vivait encore, Nataraja Gourou parlerait de la destruction progressive de la couche d'ozone stratosphérique, ce qui menace toute vie. Ces thèmes sont, hélas, trop connus et je vous en épargne le détail.

Cette destruction et cette pollution n'épargnent pas l'Inde. Nataraja Gourou poursuit : « La pollution n'est pas réservée aux seuls pays soi-disant développés. A Monghyr, l'an dernier, les gens ont dû s'abstenir de boire l'eau du Gange, polluée par les déchets déversés dans le fleuve par les usines. L'ignorance de la nocivité des pesticides et des engrais chimiques conduit à des abus. Dans les Nilgiris, le haut plateau du Sud de l'Inde, grâce à l'usage massif de pesticides, on obtient des récoltes plantureuses de pommes de terre énormes, qui font la réputation de cette région. Mais, entraînés dans le sol par les pluies, ces poisons pénètrent dans les pommes de terre et intoxiquent les humains. (Nataraja Gourou n'aurait pas manqué de citer Bhopal et la catastrophe de l'Union Carbide, dont les victimes attendront longtemps encore un dédommagement, même partiel).

» Vous souvenez-vous combien les savants étaient optimistes, avant l'époque des défoliants, des insecticides et des déchets nucléaires ? Ils prédisaient l'avènement de l'âge d'or et le retour du paradis terrestre. Mais, l'optimisme a disparu, sauf dans les pays en voie de développement, en Asie, en Afrique, en Amérique latine où les politiciens se laissent corrompre par les fabricants de poisons. Les grandes multinationales sont totalement indifférentes au fait que des millions d'êtres humains de couleur s'intoxiquent, lentement mais sûrement. Peu leur chaut : il faut faire du dollar ou fermer boutique.

» C'est seulement dans les parties du monde où les grandes villes ne se développent pas encore, surtout sous les tropiques, où des paysans vivent depuis des millénaires en harmonie avec la nature, que l'on vante encore les mérites fallacieux de la science et du progrès, que l'on entretient le mythe de la civilisation et de ses merveilles.

» Mais, l'Occident commence à se douter de l'avenir tragique qui nous attend. Parce que les savants eux-mêmes, les responsables, les apprentis-sorciers, en sont affectés, eux aussi. Leurs inventions ont échappé à leur contrôle. Ils se joignent maintenant à ceux qui protestent contre la dévastation, l'enlaidissement et la pollution de notre monde, qui fut si beau.

» Pour la première fois, on évoque l'interdépendance de toute vie sur la planète, l'identité fondamentale de toutes choses, l'unité foncière de notre univers manifesté, ce que les yogis proclament depuis des millénaires. En comprenant cela, nous saisissons aussi que, si une partie de l'ensemble se dérègle et prend le mors aux dents, l'ensemble est menacé.

» La nature, défiée par le DDT, produit des espèces résistantes, immunisées contre ce toxique. En faisant joujou avec la chimie et l'atome, l'homme perturbe la nature. Et tout cela au nom d'une civilisation basée sur des abus de toute nature, sur le pouvoir, la cupidité, l'argent, le luxe, la violence, les rivalités, l'envie, les déceptions, les lois injustes, les restrictions, l'intoxication des esprits dès l'école par les médias, la mise au ban de la société des vieux, des handicapés et des malades qu'on relègue dans des institutions pour les soustraire à la vue.

» Avec ses foules et sa puanteur, ses bidonvilles, ses bureaux, ses usines, la civilisation engendre la détresse physique autant que les maladies mentales. La drogue ronge la jeunesse et les élites, engendre des individus dégénérés, désaxés qui rejettent et agressent tous ceux qui ne leur ressemblent pas. Sans parler de la course démentielle aux armements, ni des conflits incessants, de plus en plus meurtriers.

» Il n'existe pas de pire ennemi de l'homme, ennemi de la vie, ennemi de la contemplation, ennemi du bonheur, ennemi de la sagesse, que ce monstre appelé « civilisation moderne ». Maintenant, alors qu'il est bien tard, après avoir mis le feu à la demeure de l'humanité, les savants s'en lavent les mains et voudraient au moins sauver leur peau. Il serait bon, sans aucun doute, de sauver l'humanité, mais la plupart des civilisés ignorent même qu'ils sont menacés. Ils refusent d'être sauvés, alors que le navire fait eau de toutes parts : c'est l'Arche de Noé, version moderne.

» Oui, il serait bon de sauver l'humanité et, encore mieux, de sauver tout ce qui vit. Quoi qu'il advienne, la nature se chargera bien elle-même d'y mettre bon ordre. Seul un dément rêverait de sauver une telle civilisation. »

Depuis que Nataraja Gourou a publié ces paragraphes, la situation ne s'est pas améliorée, au contraire. Faut-il baisser les bras ? Pouvons-nous faire quelque chose ? Cette civilisation peut-elle encore être sauvée ? Personne ne le sait, mais il est certain que la cause profonde de la faillite totale de cette civilisation, c'est sa structure patriarcale et ses valeurs purement mâles.

Alors, que faire ?

Pour s'en sortir, il faut revenir aux valeurs de la Féminité. Si elles gouvernaient le monde, l'humanité ne gaspillerait pas des efforts titanesques et des sommes vertigineuses à fabriquer toutes ces fusées, ces blindés, ces bombardiers, ces sous-marins atomiques, ces porte-avions, ces milliers d'ogives nucléaires et que sais-je encore, dont le mieux qu'on puisse espérer est que ce surarmement dispendieux ne serve jamais. Chacun de ces engins, qui coûte des fortunes, incarne l'expansionnisme patriarcal et celui-ci mène *inéluctablement* à la guerre, comme au temps des vols de bétail par les pasteurs nomades. Aucune mère ne souhaite voir ses fils et petits-fils servir de chair à canon.

Il faut d'abord démythifier et démystifier la science autant que sa sœur jumelle, la technologie, qui se prostituent au service des états-majors et des grands trusts, seuls à même de s'offrir leurs faveurs coûteuses.

Notre civilisation, que nous considérons volontiers comme le prototype par excellence de « la » civilisation, se singularise par rapport à toutes les précédentes, par le développement, aussi fulgurant qu'anarchique et incohérent, de la science. Pardon, de la Science, avec majuscule, car nous l'idolâtrons au point que seul ce qui est scientifique est respectable, le reste étant de peu de valeur. Fort bien, mais d'emblée, deux constats. Primo, personne ne conteste qu'en quelques décennies l'humanité a accumulé plus de savoir que pendant les millénaires précédents. Secundo, sans rendre la Science à elle seule responsable de la faillite totale de la civilisation patriarcale, constatons qu'elle ne l'a, en tout cas, pas prévue ni, surtout, empêchée.

Qu'on ne se méprenne pas au sujet de mon attitude, en tant que tantrique, vis-à-vis de notre science. Je ne dis pas que la science est sans valeur, mais bien qu'elle ne concerne qu'une partie restreinte de l'humain et que, dans sa forme actuelle, elle n'atteint pas à l'essentiel car elle n'explore qu'un aspect limité du réel. Une comparaison va éclairer la différence entre les deux.

Imaginez un jeune amoureux auquel le facteur remet la lettre, tant attendue, de son aimée. Devant la lettre, deux approches sont possibles : la scientifique, intellectuelle et précise, l'autre intuitive. Dans la première, la science analyse le papier : est-il avec ou sans bois, quelles sont la nature, la longueur et la provenance des fibres, est-il couché ou satiné, quelle est la nature du liant, et ainsi de suite. Puis elle passe au texte : a-t-il été écrit avec un stylo à plume ou à bille, quelle est la formule chimique de l'encre, et je vous épargne le reste, car on peut disséquer à l'infini. En fin de compte, la science saura *tout* à propos de la lettre, mais *rien* à propos du message d'amour qu'elle apporte. Or, pour l'amoureux, c'est celui-ci qui importe !

De même, devant le réel, donc face à son propre être autant que devant le monde qui l'entoure et dont il fait partie, le tantrique sait aussi que deux approches sont possibles et il privilégie l'intuitive : il tentera de *percevoir* le message caché derrière le « réel », puis de s'y intégrer, plutôt que de disséquer à l'infini les pages du grand livre de la Nature.

Cela n'exclut pas de savoir que, sans la science et sans la technologie, il n'y aurait pas de papier, pas de stylo, pas d'encre... Ce qui relativise encore plus l'intérêt de la science, c'est de savoir qu'avec ou sans papier, les amoureux ont toujours trouvé le moyen de se dire « Je t'aime » ! Et de savoir aussi si c'est vrai sans exiger un cardiogramme, ni un encéphalogramme ! Il n'empêche que, dans certains cas, ceux-ci sont bien utiles. En fait, les deux démarches ne s'excluent pas, car elles abordent le réel sous deux angles différents, sans impliquer nécessairement une plongée dans la métaphysique.

Mais, au fond, que peut-on bien reprocher à cette brave Science ? Est-ce mal que d'explorer systématiquement l'univers pour en découvrir les lois et les secrets ? A priori, il n'y a rien à objecter. D'ailleurs, plus d'une fois j'ai invoqué notre science pour éclairer certains aspects du tantra, mais c'était seulement pour satisfaire notre esprit cartésien. Le problème est que, mine de rien, la recherche n'est jamais innocente : si l'homme moderne se prosterne devant la Science, c'est parce que *savoir* c'est *pouvoir* et conduit à *l'avoir*. A l'opposé, le tantra veut *connaître* pour *être*.

La Science hypertrophie l'intellect aride et froid, solaire et mâle, au détriment de l'intuition et de l'émotion, valeurs lunaires et féminines. Le scientiste ramène tout à l'étalon de la conscience vigile et se veut dominé uniquement par le rationnel. De ce fait, il ignore, voire étouffe, les dimensions profondes, c'est-à-dire spirituelles, de l'être.

La Science menace la Vie parce qu'elle s'est détachée de la Tradition, ou des Traditions, si vous préférez. (Cela fait beaucoup de majuscules, mais elles sont justifiées). Alors que « la » civilisation moderne dissocie, fractionne, la Tradition, au contraire, associe, unifie, synthétise. De nos jours, la religion, la science, l'art, sont devenus autant d'entités autonomes, distinctes, sans lien entre elles, dont chacune éclate en sous-entités : la science se ramifie en diverses disciplines, en spécialités, l'art devient les beaux-arts, etc.

Le plus insidieux, le plus dangereux est que, sans sourciller, nous accordons à chacun, sans discrimination, le droit au savoir, sans tenir compte de son niveau moral.

Dans les grandes Traditions, le savoir se méritait, non pas en fonction du quotient intellectuel ou de la fortune des parents, mais selon le niveau spirituel de l'initié : le degré de Savoir doit correspondre à un degré de Sagesse, car tout savoir, mal utilisé, est périlleux.

Ainsi, parmi les sciences a priori les moins dangereuses, on classerait volontiers les mathématiques. Or, Einstein, homme bon, juste et même mystique, en offrant ses formules à tout venant a très largement contribué à l'évolution de la physique nucléaire. Alors Einstein a-t-il vraiment voulu Hiroshima, Nagasaki ou Tchernobyl ? Sûrement pas : souvenons-nous de ses nombreux appels pour la Paix dans le monde. Mais, c'était trop tard : il est impossible de revenir en arrière, au contraire. Plus rien ne peut empêcher la prolifération incontrôlée de l'arme nucléaire dont rien ne garantit qu'on ne s'en servira pas ! De toutes manières, ce risque mortel existe.

Bien sûr, cette dissociation de la science et de la religion est due, entre autres, à l'Inquisition qui condamnait le pauvre Galilée pour avoir osé prétendre que la terre tournait. Son « et pourtant elle tourne » est célèbre et révélateur. Il est normal que, dès qu'elle l'a pu, la science se soit proclamée autonome. Personne ne prône, bien sûr, d'en revenir à l'Inquisition...

Pour le tantra, le savoir purement

intellectuel est non seulement incapable d'assurer notre épanouissement ni même notre bonheur, mais il est futile car il ne peut que gratter à la surface des choses. Les découvertes génétiques sont des merveilles d'ingéniosité humaine, mais disséquer les gènes ou les observer au microscope électronique ne révèle pas la *nature* de la Vie. Déterminer la date de l'apparition de la Vie sur notre planète n'est pas *vraiment* important. Mais, quand le tantrique perçoit qu'il est l'expression de cette Vie des origines, il transcende son moi limité et débouche dans le cosmique.

Tout n'est évidemment pas négatif dans le bilan de la science et il n'est pas question de la rejeter en bloc, mais il faut être conscient de ses limites, qui sont bien plus étroites qu'on ne le suppose, car la science est basée uniquement sur les perceptions extérieures. Alain Daniélou, dans *Yoga, Méthode de réintégration*, p.12, écrit : « Une perception extérieure ne constitue pas, à elle seule, une vraie connaissance et l'unique moyen pour l'homme d'obtenir d'un objet une connaissance véritable est de s'identifier à lui ; ce n'est que lorsqu'il est un avec lui qu'il peut le connaître tel qu'il est et non plus seulement tel qu'il paraît. » La science rend l'homme orgueilleux, présomptueux, et lui fait sous-estimer la Vie. Le problème n'est pas de savoir s'il faut rejeter la science, mais bien qu'il est essentiel de la réintégrer dans une vision cosmique totale et de lui rendre le sens du sacré.

Il n'est cependant pas question de renoncer à la science et à la technologie car, moyennant *d'autres valeurs et priorités*, elles peuvent, non, elles **doivent** servir à la dépollution, au reboisement, à l'irrigation des déserts, à la « dépoubellisation » et à la restauration de l'environnement naturel. Notre civilisation, qui croit pouvoir piller et gaspiller impunément, sera contrainte de revenir au vrai sens du mot « économie », tant au niveau mondial qu'individuel, car nous sommes tous collectivement responsables. A propos, nous pillons d'abord les richesses naturelles du Tiers-Monde puis, chaque fois qu'on le peut, on leur retourne nos déchets toxiques dans des fûts rouillés, parce qu'ils acceptent de les stocker à bas prix...

On veut le plein emploi ? C'est légitime, mais il n'y a pas trop de bras, ni trop de cerveaux pour cette tâche immense, bien plus urgente que d'aller se balader sur la planète Mars.

Bien sûr — pour ne citer qu'un exemple —, dans un premier temps, une industrie non polluante coûterait bien plus cher que celle qui vomit des milliards de tonnes de fumées toxiques dans l'atmosphère et d'autres milliards de déchets dans nos fleuves-égouts — voir le Rhin — puis dans la mer, notre Mère. Stupide, la civilisation préfère consacrer son énergie à se surarmer plutôt qu'à dépolluer l'air et l'eau. Tout est une question de choix. De choix ? Même plus : c'est maintenant ou jamais car dans bien des domaines on frôle, voire on atteint, le point de non-retour.

Ensuite, il faut dégonfler une autre baudruche, c'est-à-dire le mythe du « progrès continu », qui consiste à croire que l'avance technologique conditionne le bonheur. Les gadgets technologiques peuvent, au mieux donner du confort, non du bonheur : l'homme est-il *vraiment* plus heureux depuis que la poussière lunaire porte l'empreinte de ses pas ? Sera-t-il *vraiment* plus heureux quand il débarquera sur Mars ? S'il veut *absolument* y aller, qu'il le fasse, mais qu'il résolve d'abord les problèmes terrestres.

Plus terre-à-terre : serons-nous *vraiment* plus heureux quand, par exemple, d'ici peu la télévision à haute définition montrera, avec une netteté inégalable, des feuilletons de plus en plus minables ? D'ailleurs, que le public en soit friand démontre que l'accumulation de savoir scientifique et le progrès technologique n'engendrent pas une élévation correspondante du niveau culturel des masses. Quant au niveau spirituel... Enfin, serons-nous plus heureux quand, dans dix ans, on lavera plus blanc qu'aujourd'hui, mais moins blanc que dans quinze ?

Savoir que ces gadgets ne peuvent apporter, au mieux, que du confort, n'implique pas de laisser rouiller le lave-vaisselle, ni de casser son téléviseur, mais de n'y voir que ce qu'ils sont, c'est-à-dire de la quincaillerie utilitaire. Pour ma part, je ne vis pas dans une caverne et je ne rejette pas la technologie — c'est elle qui a imprimé ce livre — mais je n'y vois pas non plus le summum de la civilisation, ni la condition du vrai progrès humain...

Il ne s'agit pas non plus de vouloir le « triomphe » du féminin sur le masculin, ni d'envisager une sorte de « révolution douce » organisée, mais plutôt d'escompter une mutation, une évolution progressive par l'intérieur. Quand, à tous les niveaux de la société, y compris celui des « décideurs », de plus en plus d'hommes et de femmes seront acquis à ces valeurs et les intégreront à leur niveau personnel, sans prosélytisme missionnaire, elles déteindront forcément sur l'ensemble de la société : la tache d'huile est une tactique efficace... Il faut savoir que nous sommes tous des coresponsables.

Le premier objectif : respecter partout et avant tout la Vie, à commencer par celle de mon propre corps, cet univers inconnu, de la santé duquel « je » suis responsable ; celle aussi de mes semblables et de toute vie animale, végétale ou même microbienne car, sans bactéries, nous disparaîtrions. Mais, je le répète, pour changer le monde et faire revivre les anciennes valeurs de la Féminité, il faut d'abord voir, penser et agir autrement au niveau individuel.

Est-il plus tard que nous le croyons ? Rien que dans mon tout petit univers, dans ce jardin qui n'est pas immense, les présages sombres s'accumulent. Nous sommes en mai. Pour une fois, le ciel nordique est bleu et le printemps éclate dans la nature. Mais, peut-on être vraiment joyeux alors que l'hirondelle a déserté la région, qu'on ne trouve plus un seul hanneton, que les grenouilles ne croassent plus dans la mare ? Je n'oublie pas qu'il y a trois ans, le vieil orme du fond du jardin est mort ainsi que tous ceux du voisinage et d'Europe.

Hier, en marchant dans ce bois que

j'aperçois de ma fenêtre, j'ai vu, avec tristesse, des hêtres centenaires vivre leur dernier printemps : tuée par la pollution, la forêt, peu à peu, agonise en silence. Ma question : qui et quoi vont mourir ensuite ? Et je pense que tout cela s'est produit sous nos yeux en moins de dix ans et surtout que cela se passe à l'échelle planétaire, notamment avec la disparition accélérée de la forêt amazonienne.

A moins d'un virage drastique et immédiat, l'homme, né dans un Eden, crèvera bientôt, pourri de l'intérieur, sur les monceaux de détritus dont il recouvre son ex-planète bleue, ravagée par la « civilisation » moderne.

Quant à la question de Nataraja Gourou, il n'est plus temps de se demander s'il faut ou non sauver une civilisation aussi délétère, mais bien de savoir s'il est encore possible de sauver l'humanité — et la surtout la nature — d'un désastre imminent.

Peut-on espérer ce sursaut ? Peut-être. Des signes précurseurs, discrets mais réels, montrent qu'un nouvel âge pourrait encore émerger à temps. Pour cela, il **faut** que la femme prenne conscience de *sa* valeur autant que de *ses* valeurs, de *son* génie autant que de *son* poids dans la société et elle changera le monde. Sinon, on peut se demander s'il restera encore quelqu'un pour venir cracher sur nos tombes.

En dénonçant les méfaits du patriarcat, j'ai cru que je me ferais traiter de transfuge par les autres hommes, mais il n'en est rien, et je fais miens ces mots d'Ernest Borneman : « Si, en tant qu'homme, j'écris ce livre, qui fournira aux femmes un instrument leur permettant de renverser la domination de mon propre sexe sur le leur, c'est parce que je ne vois pas d'autre moyen de libérer l'homme. »

Entre-temps, et quoi qu'il puisse arriver dans cet âge du Fer, la vision, mais *surtout la pratique tantrique*, permettra à des femmes et des hommes clairvoyants d'intégrer ce culte de la Féminité dans leur vie de tous les jours et, en espérant un éventuel avenir meilleur, de survivre dans la confortable décadence de notre monde moderne.

L'avenir du tantra en Occident

Si je vous disais que le tantra convient à notre Occident moderne, j'oserais parier que vous n'en seriez pas autrement surpris. Aussi, sur le point d'enfin conclure ce livre, je citerai Wendell Charles Beane qui clôture son propre *Myth, Cult and Symbols in Shakta Hinduism* (excellent !) par ces lignes :

« Une signification finale de notre étude réside dans ses implications théoriques et pratiques pour d'autres, *en dehors* de l'Inde, en tant que *nouvelle possibilité* de réévaluation de la symbolisation théologique de la Réalité Ultime et du rôle des capacités procréatives humaines (c'est-à-dire la sexualité).

» Il ne faut pas nécessairement voir en ceci un appel romantique ou un encouragement à la perspective antinomique de la liberté sexuelle, bien qu'il soit possible que, même en Inde, les aspects les plus radicaux de la Voie de Gauche aient complètement disparu. L'important est que l'adoration de la déesse permette l'intégration des aspects de la vie humaine en une entité qui inclut la réalisation d'un type d'équilibre, eu égard à la généralisation, souvent évoquée, que les structures panthéoniques tendent à se refléter dans les structures socio-politiques des civilisations. Dans une autre civilisation qu'en Inde, cette possibilité peut toutefois avoir des conséquences salubres.

» De plus, il y a une certaine signification relative aux mouvements modernes de libéralisation des pratiques sexuelles, d'autant qu'ils ont une influence sur la libération des femmes, considérées en tant qu'objets-sexuels, plutôt que comme personnes de valeur.

» Les individus peuvent apprendre du témoignage des adorateurs de la déesse *(c'est-à-dire des tantriques)* que, même si certaines idées et formes de la vogue tantrique s'avéraient inadaptées à certains milieux modernes, c'est essentiellement la vision de ce que l'homme autant que la femme peuvent devenir l'un pour l'autre, dans le respect mutuel de leur identité, de leur influence et de leur action *dans* le monde, qui compte vraiment. »

Si le style, qui correspond à l'académisme de l'ouvrage, est un peu rébarbatif, sa conclusion n'en est pas moins très importante. W. C. Beane exprime ainsi ma propre conviction que, non seulement la vision tantrique est adaptée à l'Occident moderne, mais que, progressivement, et sans devoir créer des associations ou des mouvements spécifiques, elle aura des échos socio-politiques, sans provoquer de remous, par une prise de conscience et une mutation progressive des valeurs.

Ainsi, sans renoncer aux religions, croyances et cultes de notre propre milieu, le tantra peut les rajeunir, notamment en les « dépatriarcalisant ».

Un point, c'est tout ?

La vie est bizarre. Elle est un tissu de circonstances fortuites, d'imprévus, d'événements dus au hasard, qu'on a subis ou, du moins, qu'on n'a pas voulus, le tout se bousculant sans ordre ou logique apparente. C'est l'impression qu'on a en la vivant au jour le jour.
Puis, étrangement et presque brusquement, ce fatras disparate converge vers un point central, se structure, prend un sens. Ce point de convergence, en ce qui me concerne, c'est ce livre : vu d'aujourd'hui, c'est comme si, dès l'enfance, tout avait été planifié pour aboutir à la vision tantrique et à ce volume.
Ce livre m'habite, pour ne pas dire me hante, depuis si longtemps que je ne sais même plus quand j'ai commencé à le penser, à le vivre, à le rédiger. Et pourtant, c'est son message qui donne un sens à tout ce passé, y compris à ces inévitables erreurs de jeunesse, y compris à ces épreuves qui n'ont pas manqué au programme ! Et qui me permet de ne pas désespérer de notre civilisation.
Bizarrement aussi, au moment d'y mettre le point final, je suis partagé entre le ouf ! et le regret de laisser encore tant d'aspects du tantra à peine effleurés : la Kundalinî, par exemple. Mais il faut bien s'arrêter un jour, sans quoi tous ces ami(e)s à qui je l'ai promis et qui patientent depuis tant d'années, ne le liraient jamais...
On m'avait bien suggéré d'en faire deux volumes, afin de le sortir plus tôt ou... moins tard. J'ai résisté à cette tentation, ne pouvant me résoudre à publier d'abord un volume sur la théorie puis un second sur la pratique : la théorie sans la pratique a peu de valeur et vice versa.
Alors, mettons-le enfin, ce point final.

Juin 1988

8
Annexes

La philosopie tantrique, survol panoramique

Les tantriques sont avant tout gens pratiques, peu enclins aux spéculations stériles, aussi cet ouvrage a-t-il surtout voulu exposer les idées-force du tantra, pour vous faire acquérir une perception intuitive de sa vision du monde. Il n'a donc pas ambitionné l'honneur d'être un traité de philosophie.

Néanmoins, au cours des millénaires, le tantra s'est cristallisé en un système de pensée cohérent. Alors, à l'intention de ceux qui s'intéressent à la philosophie tantrique, j'en donne ci-dessous un aperçu basé sur le *Sâradâ Tilaka Tantram.*

Dans l'Etre absolu, indifférencié, s'éveille d'abord l'énergie consciente

Shiva - *Shakti*
énergie/conscience + conscience/énergie
|
Nâda
énergie consciente
en état de vibration indifférenciée
|
Para Bindu ou *Shabda-Brahma*
le « germe » absolu et la conscience/énergie
imminence de la manifestation

Bindu	*Bijâ*	*Nâda*
énergie consciente	semence de la création	énergie consciente
volonté + désir	énergie cognitive	en vibration
			fusion *Bindu-Bijâ*
Tamas guna	*Sattva guna*		
			Raja guna
Shiva — Rudra	*Vishnu*		
		Brahmâ

qui est aussi la Mère du monde. Cette Shakti ultime, indissociable de Shiva, devient la vibration cosmique créative appelée *Nâda* (« Au commencement était le verbe », plus le big-bang?). Cette vibration indifférenciée se consolide et atteint l'état imminent de manifestation, appelé *Para Bindu,* le germe suprême.

Devenue la vibration universelle consciente, elle engendre la diversification infinie des formes. Dans l'individu, Para Bindu, parfois appelée *Shabda--Brahma,* devient l'énergie vitale suprême (Kundalinî).

A partir du Son Primordial Conscient, *Shabda-Brahma,* quand l'énergie cosmique consciente est agitée au point de devenir potentiellement créative, émerge d'abord *Mahat,* l'intelligence cosmique manifestée d'où évolue *Ahangkâra,* le Soi cosmique manifesté d'où découlent ensuite tous les objets et les êtres de l'univers.

Il s'ensuit que, dans la pensée tantrique, comme dans la pensée indienne en général, tous les objets et les êtres, ayant la même origine et la même nature, ne diffèrent entre eux que par le degré de cohésion, de densité et d'organisation. Toutes les manifestations subtiles de l'énergie se ramifient en 5 Eléments, ou *Tanmâtras,* qui jouent un rôle essentiel dans le rite des 5 M et la Chakra Pûjâ.

Parmi ces éléments, le son est considéré comme le plus subtil, n'étant qu'une pulsation de l'énergie, laquelle engendre alors l'Espace, *Akâsha,* siège de toute vibration, alors que nous croyons que l'espace préexiste avant toute création. Par ordre de subtilité décroissante, viennent ensuite le toucher, source de toute perception sensorielle, puis l'air subtil, *Vâyu,* le principe vital qui, dans le corps dense, entretient la vie.

Après quoi se manifeste le principe de luminosité, *Tejas,* ou énergie radiante qui, sur le plan de la densification, engendre le feu, la chaleur, la lumière. Ensuite, il y a le principe de fluidité, l'élément Eau, *Apa* et, enfin, l'élément le plus dense, la Terre, *Prittvi* ou *Kshiti.* A chacun de ces éléments correspond un pouvoir de perception sensorielle, en relation avec son ou ses organes de perception spécialisés.

Ce que nous entendons par la « fin du monde », est vu par la pensée tantrique comme étant l'inverse de la manifestation, la grande dissolution *Mahapralaya.* Il se produit alors une réabsorption progressive de l'univers manifesté, en sens inverse de son déploiement, jusqu'à ce qu'il ne subsiste plus que la Cause première, Shiva/Shakti cosmiques, en attendant le prochain cycle de manifestation. Sur le plan humain, alors que, pour nous, la mort marque la fin de la vie ou en désigne l'absence, pour le tantra, elle est un processus qui se déroule en sens inverse de la naissance et de la conception.

Notons que la plupart de ces concepts tantriques sont pré-aryens et à l'origine de la philosphie du Samkhya et du Vedanta.

Ce tableau synoptique est lui-même simplifié pour en permettre la compréhension. Les lecteurs s'intéressant à la pensée indienne trouveront peu de livres suffisamment explicites et acces-

Para-Bindu ou Shabda-Brahma

Mahat
Intelligence cosmique

Ahangkâra
Principe d'individuation
qui engendre l'ego

d'où provient l'organe interne (mental) qui, bien qu'unique, se subdivise en 5 organes de perception (les 5 sens) et 5 organes d'action (expression, préhension, locomotion, excrétion, reproduction)	Les 5 éléments (terre, eau, air, feu, éther)
Akâsha (éther, son)	*Shahda Tanmatra* (ouïe et spatialité)
Vâyu (air subtil, vie)	*Sparsha Tanmatra* (toucher et vitalité)
Tejas (feu, rayonnement)	*Rûpa Tanmatra* (vue et lumière)
Apa (fluidité)	*Rasa Tanmatra* (goût et eau)
Prittvi ou Kshiti (terre)	*Gandha Tanmatra* (odorat et solidité)

sibles aux Occidentaux, tout en étant authentiques et raisonnablement complets. Parmi ceux-ci, figure *Les philosophies de l'Inde*, du professeur Zimmer.

Glossaire

Abhayamudrâ : geste protecteur.

Abhichâra : magie, incantations, rites (surtout de magie noire).

Abhinavagupta : tantrique Shâkta (VIIe s.) notable. A écrit notamment les Shaïvâgamas.

Abhisheka : rites de consécration brahmaniques.

Achâryâ : guide, précepteur Synonyme de gourou.

Adhikâra : qualification pour l'initiation et la pratique tantriques .

Adyâ-shakti : énergie primordiale divinisée.

Agama : « *Ce qui est descendu* » — écritures traditionnelles non védiques, notamment des sectes Shaïvites. Shâktâgamas = textes tantriques .

Aghora : Shiva dans sa forme terrifiante, surtout vénéré dans le Sud.

Agni : dieu védique du feu.

Agnihotra : le sacrifice védique du feu.

Ahangkâra : dans le samkhya, principe de l'ego.

Akâsha : « *Ce qui pénètre tout* », l'espace ; le principal des cinq éléments (Tattwa).

Akula : l'aspect Shiva dans la Shakti.

Ambâ : « *Mère* » un des noms de Durgâ.

Ambikâ : une déesse-mère du panthéon hindou.

Ananda : félicité suprême.

Anjali mudrâ : geste de vénération ; les deux mains jointes, paume contre paume.

Apâna : modalité de l'énergie vitale (prâna) effectuant l'excrétion.

Amrita : immortalité (de « *a* » privatif, et « *mrita* », mort).

Apsara : nymphe céleste, esprit des eaux. Dans la mythologie hindoue correspondent aux Walkyries germaniques.

Asana : littéralement « *siège, trône* », posture yogique ; dans le tantra, posture de maïthuna.

Ashrama : ermitage. Etapes de vie.

Asura : démon, ennemi des Devas (Aryens).

Ashvamedha : le sacrifice du cheval.

Atharvavéda : le véda des formules magiques.

Atman : « *Essence ou principe de vie* », par extension, âme de l'homme, dans ce cas avec minuscule et associé avec « *jîva-âtman* » ou « jivâtman » .

Ayurvéda : de « *âyus* », vie, et « *ved* », science. Médecine traditionnelle indienne, d'origine tantrique.

Bhaga : vulve.
Bhaïrava : « *terrifiant* », une des formes de Rudra-Shiva.
Bhaïravî : « *terreur* », aspect terrifiant de la Shakti. C'est le pouvoir occulte de la mort qui agit dans les vivants, dès leur conception .
Bhakti : de « *bhaj* » dévotion, adoration, affection ; une des voies du yoga.
Bhang(â) : nom indien du haschisch, soit fumé, soit en infusions.
Bhâvinî : autre nom pour les Dévadâsîs.
Bhoga : jouissance.
Bhuta : les éléments matériels.
Bija : mantra-germe, formé d'une seule syllabe. Sperme.
Bindu : énergie subtile, située à Mûlâdhara Chakra, que le yogi guide ensuite vers le haut à travers Sushumna. Perçue sous forme de lumière en Ajna. Signifie aussi un point.
Brahmâ : dans la trinité hindoue, le Créateur.
Brahman : la Cause non-causée. L'Absolu.
Brahmachâri : dans le système brahmanique, jeune étudiant célibataire. Un des « *ashramas* », ou étapes de la vie.
Brahmane : prêtre hindou.
Bouddha : « *éveillé* », « *illuminé* » titre honorifique donné à un sage. Nom donné à Gautama « *le* » Bouddha.
Bouddhi : dans le Samkhya, la raison humaine.

Chitshakti : le principe de la conscience.
Chakra : « *roue* » « *disque* »,« *cercle* ». Centre d'énergie subtile psycho-physiologique .
Chakra-pûjâ : rite tantrique où les participants sont installés en cercle.
Chandâla : hors-caste. Intouchable. Ne sont même pas considérés comme êtres humains par les Aryens de caste.
Chandra : la lune, personnifiée en déesse.
Chandrakâla : croissant de lune dans la couronne de la déesse. **Chinnamastâ :** déesse tantrique à la tête tranchée. Une des formes de Durgâ.

Dâkinî : entités féminines démoniaques, se nourrissant de viande crue. Très populaires dans le tantrisme bouddhiste, au Népal notamment .
Dakshina-marga : voie tantrique de Droite, védique, sans union sexuelle concrète.
Damaru : tambour en forme de sablier ou de deux cônes opposés. Emblème du lingam-yoni et de la force créatrice de Shiva.
Dâsha : nom donné par les envahisseurs Aryens aux tribus aborigènes qui leur résistaient.
Dashyu : synonyme de *dâsha*.
Dayana : méditation sur une divinité choisie en contrôlant les organes des sens.
Déva : « *être lumineux* ». Divinité védique, personnification de phénomènes ou de forces naturelles.
Dévadâsî : « *esclaves-servantes du dieu* ». Danseuses-prostituées des temples, surtout en Inde du Sud. En plus d'accorder leurs « *faveurs* » aux brahmanes du temple, remplissaient les caisses du temple !
Dévî : forme féminine de deva.
Dharma : devoir, loi, coutume.

Dhyânayoga : dans le tantrisme, processus de concentration sur l'ascension de la Kundalinî.

Dîkshâ : initiation rituelle védique.

Drâvida : groupe ethnique à peau brun-foncé, au crâne allongé, peuplant de larges parties de l'Inde au moins un millénaire avant l'invasion aryenne. Les Drâvidas furent les créateurs de la civilisation Harappéenne.

Durgâ : déesse tantrique composite, surtout du culte Shakta. Aspect de la Déesse-Mère, assimilée par la suite par les Aryens. Déesse guerrière redoutable.

Dûtî : partenaire féminine du rite tantrique.

Ganapati : voir Ganesha ci-dessous.

Ganesha : dieu de la sagesse à tête d'éléphant.

Garuda : aigle mythique.

Gopî : litt. « *Cow-girls...* ». Bergères qui « *flirtaient* » avec Krishna.

Grihâvadhuta : adepte tantrique menant une vie de famille ordinaire.

Gourou : instructeur, précepteur. Celui qui initie.

Hangsa : mantra combinant *hang* à l'inspiration et *sa* à l'expiration .

Idâ : nadî lunaire partant de la narine gauche. Par extension, narine gauche.

Indra : dieu tutélaire des Aryens, chef des dieux, détruit les forteresses ennemies et massacre les Dasyu. Son arme est la foudre.

Jâti : statut social basé sur la race, la lignée.

Jîvashakti : autre nom pour la Kundalinî, énergie vitale animant le corps.

Jîvatmâ : âme individuelle.

Jnâna-yoga ou Jnâna marga : yoga spéculatif, philosophique.

Kâla : le temps.

Kalânyâsa : perception de la divinité dans les diverses partie du corps de la partenaire tantrique.

Kalasha : urne, amphore. Elément indispensable de la pûjâ tantrique. Symbole de la matrice universelle. Archétype de la féminité.

Kâlî : une des épouses de Shiva, hideuse, à quatre bras, des crocs tenant lieu de dents, elle détruit tout, y compris Kâla, le Temps.

Kâma : dieu de l'amour, Cupidon indien.

Kâmakalâ : acte sexuel. Dans le tantra, maïthuna où s'équilibre l'aspect statique et dynamique de l'énergie de Shiva.

Kanda : point de départ (ovoïde) de toutes les nâdîs, situé au périnée.

Karman : tout acte.

Karma-yoga : yoga opératif.

Khecharî : technique yogique consistant à sectionner le frein de la langue permettant, en avalant celle-ci, de bloquer la glotte. Dans le tantra, sert à maîtriser l'éjaculation.

Krishna : dieu de couleur sombre. Amant de toutes les gopîs et aussi de Radha, objet d'un culte érotico-religieux.

Kula : « *Famille, clan* ». Le gourou tantrique et ses disciples forment une gouroukula, une famille du gourou.

Kumârîpûjâ : rite où une jeune vierge, représentant la déesse, est vénérée.

Kumbha : jarre rituelle. Quand un

yogi enferme l'air dans ses poumons comme dans une jarre, cette pratique se nomme Kumbhaka .
Kundalinî : énergie mystérieuse latente (endormie) située au Mûlâdhâra Chakra. Symbolisée par un serpent femelle, enroulé trois fois et demie autour du lingam ; son éveil est un des buts du yoga tantrique.

Latâ : une partenaire du rite tantrique.
Lingam : « *signe* ». Tout signe, indiquant l'énergie créatrice de Shiva unie à Shakti est un lingam, le plus concret étant l'organe mâle (donc nécessairement en érection) inséré dans le yoni.
Lingam : par extension, organe mâle en érection.

Madya : variété de vin utilisée dans le rite des 5-M.
Mahâdeva : de « *Mahâ* », grand. Le grand dieu = Shiva.
Mahâdevî : la grande déesse = Shakti.
Mahat : dans le samkhya, catégorie représentant l'intelligence cosmique, dérivée de Prakriti.
Maïthuna : accouplement, acte sexuel.
Makârâ : une déesse. La lettre sanskrite « *m* », prononcée « *ma* ». Désigne aussi les cinq Makârâs, les « 5-M » du rituel tantrique.
Mâmsa : viande : un des 5-M.
Manas : le mental (perception, intellect, compréhension, etc.).
Mandala : cercle formé par les adeptes d'une chakra pûjâ, avec, au centre, le couple dirigeant le rite. Symbolise le déploiement du cosmos. Diagrammes circulaires complexes.
Mantra : son, formule magique, incantation possédant un pouvoir.
Manu : c'est l'« Adam » des Aryens. Aussi le législateur-codificateur des « *Lois de Manu* », les *Mânava Dharma-Shastra*.
Mârga : voie, chemin. Ex. : Bhakti-Mârga, la voie de la dévotion.
Mâtâ : « *Mère* » ; « *lune* ».
Matsya : « *Poisson* », un des 5-M.
Mâyâ : pouvoir cosmique de projection de formes, cause matérielle de la création. Pouvoir de voiler la réalité ; par extension, illusion .
Mithuna : couple humain ou animal.
Mleccha : étranger, barbare. Surnom méprisant donné par les Aryens à tous les non-Aryens.
Mudrâ : main, geste rituel. Partenaire du rite tantrique, parfois, dans les 5-M, des céréales ou plantes aphrodisiaques.
Mukhalinga : lingam associé à une ou plusieurs têtes de Shiva. Mûla : racine d'une plante.
Mûladhara : chakra-racine, situé au périnée.

Nâbhi : nombril, centre.
Nâda : « *son ou vibration sonore* ». Aspect essentiel du tantra, en corrélation avec la science des mantras.
Nadî : « *rivière* », « *courant* », Dans l'anatomie yogique subtile, conduit d'énergie prânique,
Nâga : serpent. Symbole phallique.
Nandi : « *celui qui est heureux* ». Le taureau, symbole de puissance, de virilité et de fertilité ; monture de Shiva. Garde les sanctuaires et temples shivaïtes.
Natarâja : « *le Roi de la Danse* », Shiva.
Natî : danseuse.
Nâtya : la danse.

Nirvâna : signifie « *extinction* » ; dans le bouddhisme, extinction de tous les désirs. Vacuité mentale.
Nyâsa : un aspect du rituel tantrique dans lequel, par le toucher ou par projection mentale, on situe des énergies ou « *déesses* » dans diverses parties du corps.

OM : syllabe sacrée représentant la vibration originelle.

Padma : lotus.
Padmâsana : pose du Lotus. Asana de maïthuna.
Panchamakârâ : « *pancha* » = cinq. Les 5-M : cf. makârâ.
Panchashakti : l'une des cinq grandes shaktis : la mère, la sœur, la fille, la belle-fille, la femme du gourou.
Parakîyâ : partenaire du rite, autre que la propre femme de l'adepte.
Pârvâti : épouse de Shiva.
Pâshupati : « *seigneur des animaux* », un des titres de Shiva.
Patanjali : auteur des « *Yogasutra* ».
Pingala : nadî solaire débutant à la narine droite.
Prakshâ : aspect statique de la réalité ultime.
Prakriti : principe créateur féminin, la nature.
Pralaya : dissolution, fusion. *Mahâpralaya* = dissolution, réabsorption ultime à la fin des temps.
Prâna : énergie vitale, cosmique.
Pranava : autre dénomination du « *OM* » (*ONG*).
Prânâyâma : techniques yogiques de contrôle des énergies vitales, surtout à l'aide de techniques respiratoires sophistiquées.
Pûjâ : « *Hommage* », « *culte* » à l'aide de fleurs. Ce mot, absent des langues indo-européennes, est d'origine dravidienne et tantrique.
Purâna : recueil de récits anciens, postvédiques.
Purusha : « *homme* » ou « *humanité* ».
Purushamedha : sacrifice humain.
Râdhâ : belle épouse de Krishna, symbole tantrique de l'amour sensuel infini.
Râga : mode musical dans la musique indienne.
Râja Yoga : yoga psychique, selon les *sutras* de Patanjali.
Râjayoga : selon le tantrisme, union de *retas* (énergie mâle, sperme) avec *rajas* (énergie féminine, fluide vaginal).
Rasa : élixir, sentiment. Intense attachement émotionnel entre Shiva et Shakti.
Rati : déesse tantrique. Nom donné à l'énergie (excitation sexuelle) féminine. Quand la shakti perçoit le shiva, sa rati s'active.
Retas : flux, courant, sperme. Se mêle à rajas (fluide féminin) dans l'union sexuelle.
Rigvéda : le plus ancien des quatre Védas.
Rishi : « *Celui qui voit* », sage.
Rudra : « *le hurleur* », dieu védique de la tempête, assimilé à Shiva lors de l'« annexion » de ce dernier dans le panthéon védique.

Sâdhanâ : discipline, pratique yogique. Dans le tantrisme, union sexuelle rituelle.
Sâdhak(a) : adepte pratiquant une discipline yogique ou tantrique.
Samarasa : jouissance partagée. Union tantrique avec rétention du souffle et

de l'éjaculation.

Sahajolî : équivalent féminin de Vajrolî. Contrôle de la musculature vaginale.

Samâdhi : étape finale (enstase) du Raja Yoga.

Shaïva : ayant trait à Shiva.

Shâkta : culte de l'énergie féminine. « *Shaktisme* » = culte de la Shakti.

Shakti : énergie créatrice féminine dans son aspect cosmique. C'est elle qui fait « *vivre* » Shiva, sans laquelle il n'est qu'un *shava* (cadavre).

Shakti : femme, particulièrement adepte féminine du rite tantrique.

Sâmkhya ou **Sânkhya :** système philosophique hindou orthodoxe dérivé du tantrisme.

Samsâra : la ronde des naissances et réincarnations successives.

Samskara : germes-résidus d'action.

Sannyâsin : ascète ayant renoncé au monde. Un des ashramas.

Satî : « *femme vertueuse, épouse idéale et fidèle* », selon les canons patriarcaux du Brahmanisme qui, veuve, se jette dans les flammes du bûcher qui incinère son mari. N'a pas son équivalent masculin...

Siddhi : « *réussite, perfection* ». Par extension, pouvoir extraordinaire obtenu par la discipline yogique.

Shavasâdhana : rituel tantrique en présence d'un cadavre humain.

Shishna : litt. pénis. « *Shishnadeva* » = phallus, pénis divinisé. Les Aryens désignaient avec mépris les Dravidiens comme étant des « *adorateurs du pénis* ».

Shishya : disciple d'un gourou.

Shiva : « *le rouge* », « *celui qui est de bon augure* ». Le vrai nom de Shiva est tellement sacré qu'il ne doit jamais être prononcé. Shiva n'est donc qu'une épithète.

Soma : plante mythique d'où est tirée une boisson enivrante dont les dieux aryens font grande consommation.

Shri Chakra : le principal yantra du tantrisme. Représente le yoni .

Shruti : « *ce qui a été entendu* » et transmis oralement.

Shûdra ou **Soudra :** serf, descendant des peuples conquis par les Aryens.

Shukra : sperme. *Sukhâ* : plaisir.

Sukhâsana : posture de maïthuna.

Sutra : litt. « *fil* ». Par extension, « *aphorisme* ».

Tamas : ignorance, inertie.

Tândava : danse cosmique de Shiva.

Târâ : déesse-Mère aborigène de l'Inde, dont le nom signifie litt. « *étoile* ». Déesse tantrique, homologue de la Shakti.

Tattwa : « *élément subtil* » ; ingrédient du rite tantrique.

Trika : système Saïvite du Cachemire.

Trikona : triangle, yoni.

Trishûla : trident de Shiva. Symbolise la triade Ida-Pingala-Sushumna.

Upanishads : traités de sagesse ésotérique, généralement sous forme de parabole ou de récit.

Vajra : « *foudre, éclair* », organe mâle.

Vajrolî : technique tantrique permettant d'aspirer des fluides par le *vajra*, de prolonger l'union ou de réabsorber retas mêlé à rajas.

Vaishnava : culte de Vishnou.

Vâmâchâri : tantrique suivant la Voie de Gauche, impliquant l'union sexuel-

le rituelle, effectuée concrètement.
Varna : « *couleur* ». Classes nées de la discrimination raciale selon la couleur de la peau.
Véda : « *savoir* », désigne les textes sacrés des Aryens. Rigvéda, chants sacrés ; Sâmavéda, chants sacrés pour les sacrifices ; Yajurvéda, formules magiques et sacrificielles, contenant de larges emprunts à la magie archaïque indigène, d'inspiration tantrique.
Védanta : « *fin des Védas* », système philosophique non-dualiste.
Vîra : « *héros* », désigne certains dieux aryens mais aussi Shiva. Dans le tantrisme, le *vîra* est un adepte qui a dépassé le stade de *pashu* (animal), qui ne fait plus partie du « *troupeau* ».
Vîrya : énergie, excitation sexuelle mâle, sperme. Homologue de rati chez la femme.
Vishnu : second terme de la trinité hindoue. Il préserve ce que crée Brahma.
Vritra : chef militaire dravidien protégeant un important barrage. L'ayant tué, Indra aurait « *libéré les eaux* », donc ouvert le barrage, détruisant les villages et les villes. Les Aryens ont « *démonisé* » Vritra en tant que personnification de l'obstruction, du chaos.

Yogi : adepte mâle du yoga.
Yoginî : une classe de déesses. Adepte féminine du yoga.
Yoni : organe de génération féminin, associé au lingam.
Yuga : les quatre ères ou âges. Notre ère est l'âge de Fer, l'ère de Kâlî, qui se terminera soit par la destruction soit par la grande dissolution.
Yuganaddha : le principe masculin uni au principe féminin, thème fréquent dans l'art tantrique bouddhiste. En tibétain *yab-yum*.

Bibliographie

ABHEDANANDA, Swami
The Yoga Psychology, Calcutta, 1967
AGUILAR, Enric
Vers une sexologie de la religion, Barcelona, 1982
AGEHANANDA (Bharati)
The Tantric Tradition, Londres, 1969
The Light at the Centre, Santa Barbara, 1976
ALBARN, Keith
Diagram, London, 1977
AMIET, Pierre
L'Art antique du Proche-Orient, Paris, 1977
ANKALIA, H.D.
Prehistorie Art in India, Delhi, 1978
ANSHAN, Sinh
Hatha-Yoga Pradîpikâ, Delhi, 1975
ARGUELLES, Miriam & José
The Feminine, London, 1977
AVALON (Arthur)
Garland of Letters
Sakti and Sakta, Madras 1969
The Serpent Power, Madras, 1965
Tantrarâja Tantra, Madras, 1971
The World as Power, Madras, 1966
BANERJEA, J.N.
Paurânic and Tântric Religion, Calcutta, 1966
BANERJEE, P.
Early Indian Religions, Delhi, 1973
BASHAM, Arthur L.
La Civilisation de l'lnde aneienne, Paris, 1976
BEANE, Wendel Charles
Myth, Cult and Symbols in Sakta Hinduism, Leyden, 1977
BEYER, Stephan
The Cult of Târâ, Magic and Ritual in Tibet, Berkeley, 1973
BHATTACHARYA, Benyotosh
Guhyasamâja Tantra, Baroda, 1967
Saivism and the Phallic World, New Delhi, 1975
An Introduetion to Buddhist Esoterism, Delhi, 1980
BHATTACHARYA, D.K.
Prehistorie Archeology, Delhi, 1972
BHATTACHARYA Dr Hari Satya
An Introduction to Buddhist Esoterism
BHATTACHARYA, Narendra Nath
Ancient Indian Rituals, Delhi, 1970
History of the Tantric Religion, Delhi, 1982
BHAVNANI, Enakshi
The Dance in India, Bombay, 1979
BITTEL, Kurt
Les Hittites, Paris, 1976
BLOFELD, John
The Way of Power, London, 1970
The Tantric Mysticism of Tibet, New York, 1970
Le Bouddhisme Tantrique du Tibet, Paris, 1976
Taoist Mysteries and Magic, London, 1973
Mantras, Secret Words oJ Power, Londres, 1976
BORD, Janet & Colin

Mysterious Britain, London, 1978
BOSE, D.N.
Tantras, their Philosophy and Occult Secrets, Calcutta, 1956
BRIGGS, George Weston
Goraknâth and the Kânpatha Yogîs, Delhi, 1973
BUDHANANDA, Chela
Moola Bandha, The Master Key, Monghyr, 1978
BURTON, Richard F.
Sindh and the Races that inhabit the Valley of the Indus, Karachi, 1973
CARDIN, Alberto
Guerreros, Chamanes y Travestis, Barcelona, 1985
CAPRA, Fritjof
The Tao of Physics, Berkeley, 1975
CASAL, Jean-Marie
La Civilisation de l'Indus et ses énigmes, Paris, 1969
CHAKRAVARTI, Chintarahan,
Tantras, Studies on their Religion and Literature, Calcutta, 1972
CHANDA, Ramaprasad
The Indo-Aryan Races, Rajsahi, 1916
CHANDER, Ramesh
Tantrik Yoga, Delhi, 1979
CHANDRA, Vasu
The Gheranda Samhita, Allahabad, 1975
CHANG, Jolan
Le Tao de l'art d'aimer, Paris, 1977
CHANSON, Paul
L'accord charnel, Paris, 1963
CHATTERJI, J.C.
La philosophie ésotérique de l'Inde, Paris, 1917
CHATTOPADHYAYA, Sudhakar
Reflections on the Tantras, Delhi, 1978
CHINTARAN, Chakravarti
Tantras, Studies on Religion and Literature, Calcutta, 1972.
CHUNDER, Pratap Chandra
Kautilya on Love and Morals, Calcutta, 1970
CHUNG-YUAN, Chang
Le monde du Tao, Paris, 1971
COLAABAVALA, Cpt. F.D.
Tantra, The Erotic Cult, Delhi, 1976
COMFORT, Dr Alex
Das Koka Shastra, Stuttgart, 1968
Joy of Sex, New York, 1974
More Joy of Sex, New York, 1974
COOMARASWAMY, Ananda
La Danse de Civa, Rennes, 1979
COOPER, J-C.
La philosophie du Tao, Paris, 1977
COWELL, E.B. & GOUGH A.B.
Sarvâ-Darsana-Samgraha, Varanasi, 1968
COX, Sir George W.
The Mythology of the Aryans, Varanasi, 1973
DALLAPICCOLA, A.L.
Princesses et courtisanes, Paris, 1978
DANIELOU, Alain
Le polythéisme hindou, Paris, 1960
L'histoire de l'Inde, Paris, 1971
Le temple hindou, centre magique du monde, Paris, 1972
Les quatre sens de la vie, Paris, 1976
Shiva et Dionysos, Paris, 1979
La sculpture érotique hindoue, Paris, 1973
DASGUPTA, Kalyan Kumar
A Tribal History of Ancient India, Calcutta, 1977
DASGUPTA, Shashi Bushan
An Introduction to Tantric Buddhism, Calcutta 1974
Obscure Religious Cults, Calcutta, 1969
DASGUPTA, S.N.
Yoga Philosophy, Delhi, 1976
Yoga as Philosophy and Religion, Delhi, 1978
DAVID-NEEL, Alexandra
L'Inde où j'ai vécu, Paris, 1951
DESAI, Devangana
Erotic Sculpture of India, New Delhi, 1975
DE SMEDT, Marc
L'Europe païenne, Paris, 1980
L'Erotisme chinois, Fribourg-Genève, 1981
DESHPANDE, Mahdev M.
Aryan and Non-Aryan in India, Ann Arbor, 1979
DOUGLAS, Nik
Tantra Yoga, New Delhi, 1971

DOUGLAS, Nik & SLINGER Penny
Sexuals Secrets, New York, 1979
DRÖSCHER, Vitus B.
Ils se déchirent et ils s'aiment, Paris, 1975
Les sens mystérieux des animaux, Paris, 1965
DUPÉ, Gilbert
La sexualité et l'érotisme dans les religions, Paris, 1980
DUTT, Manmatha Nath
Mahanirvana Tantram, Varanasi, 1979
DUTT, N. Kumar
Origin and Growth of Caste, Calcutta, 1969
DUVAL, Paul-Marie
Les Celtes, Paris, 1977
EDWARDS, Allen
The Jewel in the Lotus, New York, 1976
ELIADE, Prof. Mircea
Le Yoga, immortalité et liberté, Paris, 1954
Le chamanisme et les techniques archaïques de l'extase, Paris, 1968
L'épreuve du labyrinthe, Paris, 1978
Histoire des Religions, Paris, 1964
ELMORE, W.T.
Dravidian Gods in Modern Hinduism, New Delhi, 1984
ESNOUL, Anne Marie
L'Hindouisme, Paris, 1972
EVOLA, J.
Métaphysique du sexe, Paris, 1959
Le Yoga tantrique, Paris, 1961
FELDENKRAIS, Moshe
Body and Mature Behaviour, London, 1949
FEUERSTEIN, Georg
The Essence of Yoga, London, 1974
FISHER, Helen E.
The Sex Contract, London, 1983
FOOTE, Bruce Robert
Prehistoric Antiquities of India, Delhi, 1916
FOUCHET, Max-Paul
L'art amoureux des Indes, Lausanne, 1957
FREMANTLE, Fr. & Ch. TRUNGPA
The Tibetan Book of the Dead, Berkeley, 1975
FURER-HAIMENHOF, Christoph von
The Gonds of Central India, London, 1973
GANGADHARAN, N.
A Study on Lingapurâna, Delhi, 1980
GAUDIO, A. & PELLETIER, R.
Femmes d'Islam, le sexe interdit, Paris, 1980
GLASENAPP, H. de
Les littératures de l'Inde, Paris, 1963
GODVED, Helle
Beckenboden & Sexualität, Stuttgart, 1983
GONDA, J.
Les religions de l'Inde, Paris, 1962
GOPAL, Ram
Classical Dances of India, London, 1965
GOSWAMI, Prof. Shyam Sundar
Hatha Yoga, London, 1963
Laya Yoga, a Method of Concentration, Londres, 1980
GOUDRIAAN, Teun (traduction)
The Vînâshikhatantra, Delhi, 1985
GOVINDA, Lama Anagarika
Foundations of Tibetan Mysticism, Londres, 1954
Mandala, der Heilige Kreis, Zürich, 1973
GREER, Germaine
The Female Eunuch, London, 1970
GREGERSEN, Edgar
Sexual Practices, London, 1982
GUÉNON, René
Les états multiples de l'être, Paris, 1957
Orient et Occident, Paris, 1948
Etudes sur l'hindouisme, Paris, 1968
GUENTHER, Herbert & TRUNGPA
The Dawn of Tantra, Berkeley, Cal., 1975
GUENTHER, Herbert V.
Yuganaddha, The Tantric View of Life, Varanasi, 1979
GULIK (van), R.H.
La vie sexuelle en Chine ancienne, Leiden, 1961
GUPTA, Beni
Magical Beliefs and Superstitions, Delhi, 1979
HERBERT, Jean
Introduction à l'Asie, Paris, 1960
Spiritualité hindoue, Paris, 1947
HESNARD, Dr A.
La sexologie, Paris, 1959
HINZE, Oscar Marcel
Symbolon, Bâle, 1968
Tantra Vidya, Delhi, 1979
HITE, Shere
Le rapport Hite, Paris, 1977

HOYLE Fred
The Intelligent Universe, London, 1983
HOPKINS, Edward W.
The Mutual Relations of the Four Castes Delhi, 1976
HUTTON, J.H.
Les castes de l'Inde, Paris, 1949
IDRIES, Sayed (Shah)
La magie orientale, Paris, 1957
IJIMA, Rev. Kanjitsu
Buddhist Yoga, Tokyo, 1975
ION, Véronica
Mythologie Indienne, Paris, 1970
Mythologies du monde entier, Paris, 1984
IYENGAR, T.H. Sesha
Dravidian India, New Delhi, 1982
JADUNATH, Sinha
Shakti Sadhana, Calcutta, 1977
JAGGI, Dr O.P.
Scientists of Ancient India, Delhi, 1966
Yogic and Tantrik Medecine, Delhi, 1973
JAIDEVA Singh
Vijnânabhairava, Delhi, 1979
Siva Sutras, Delhi, 1979
JANSEN, Michael
Die Indus-Zivilisation, Köln, 1986
JAYADEVA
Gita Govinda, Les amours de Krishna, Paris, 1957
JELINEK, Dr Jan
L'homme préhistorique Paris, 1975
JHA, Akhileshwar
Sexual Designs in Indian Culture, Delhi, 1981
JNANAPRAKASHA, (trad. T. Michaël)
Shivayogaratna, Pondichéry, 1975
JOHN, Bubba Free
Love of the Two-Armed Form Middletown, 1978
JOSHI, Ramchandra Vinayak
Stone Age Cultures of Central India Poona, 1978
JUNG, C.G.
Mandala Symbolism, Princeton, 1973
L'inconscient collectif, textes publiés dans les *Cahiers de psychologie Jungienne,* Paris, 1978, réunis par Lise Fourniol et Jean Clausse.
KALE, Arvind & Shanta
Tantra, The Secret Power of Sex, Bombay, 1976
KALYANARAMAN, A.
Aryatarangini, The Saga of the Indo-Aryans, Madras, 1961
KAPUR, Teg Bahadur
Dhyâna Mandala, Delhi, 1978
KARANJIA, R.K.
Kundalini Yoga, Delhi, 1977
KELLMAN, Stanley
Living your Dying, New York, 1975
KESSLER, Herbert
Das offenbare Geheimnis, Freiburg, 1977
KHANNA Madha
Yantra, The Tantric Symbol of Cosmic Unity, London, 1979
KHOKAR, Mohan
Traditions of Indian Classical Dance, Delhi, 1979
KING Francis
Sexuality, Magic and Perversion, London, 1971
KLEEN, Tyra de
Mudras, Ritual Hand-Poses of the Shiva Priest of Bali, New York, 1970
KOTHARI, Sunil
Bharata Natyam, Bombay, 1979
KRAMRICH, Stella
Drâvida and Kerala in the Art of Travancore, Ascona, 1961
KUMARA, Swami
The Mirror of Gesture, New Delhi, 1970
LAL, Kanwar
Kanya and the Yogi, Delhi, 1970
The Religion of Love, Delhi, 1971
LANDRY, Dr M.
Les déficiences sexuelles masculines et la frigidité, Paris, 1966
LANNOY, Richard
The Eye of Love, Temple Sculpture of India, London, 1963
LE BON, Gustave
Psychologie des foules, Paris, 1895 et 1947
L'HEUREUX, Christiane
L'orgasme au féminin, Montreal, 1979

Linga Purana, Delhi, 1973
LLOYD, J. William
Karezza Praxis, Zielbrücke-Thielle, 1966
LOMMEL, Hermann
Les anciens Aryens, Paris, 1943
LU K'UANYÜ
Taoist Yoga, Alchemy and Immortality, London, 1970
MACDONNEL, Arthur A.
A History of Sanscrit Literature, Delhi, 1961
MacKELLAR, J.
Le viol, Paris, 1975
MADANJEET, Singh
L 'art de l'Himalaya, Unesco, 1968
MAETERLINCK, Maurice
La vie des abeilles, Bruxelles, 1943
MAILLANT, Dr Charles
Les aphrodisiaques, Paris, 1969
MAIR, Lucy
Le mariage, Paris, 1971
MANOU, Lois de
Manava-Dharma-Shastra, (traduction A. Loiseleur)
MANORANJAN, Basu
Tantras, a General Study, Calcutta, 1976
MARCADÉ, Jean
Étrurie et Rome — L'art et l'amour, Genève, 1975
MARIEL, Pierre
Sectes et Sexe, Paris, 1978
MARKALE, Jean
La femme celte, Paris, 1972
MARQUES-RIVIERE
Rituel de magie tantrique hindoue, Paris, 1939
Le yoga tantrique hindou et thibétain, Paris, 1939
MASPERO, Henri
Le Taoisme et les religions chinoises, Paris, 1971
MASTERS, W.H. & JOHNSON V.E.
Les réactions sexuelles, Paris, 1966
MAUPERTUIS, Alexandre
Le sexe et le plaisir avant le christianisme, Paris, 1977
MEHTA, Dr Rustam J.
Scientific Curiosities of Love-Life and Marriage, Bombay, 1950
Masterpieces of the Female Form in Indian Art, Bombay, 1972
MESSING, Marcel
Symboliek, Sleutel tot zelfkennis, Amsterdam, 1977
MERTON, Thomas
Zen, Tao et Nirvana, Paris, 1970
MICHAEL, Tara
Hatha-Yoga Pradîpikâ, Paris, 1974
MILES, Arthur
Le Culte de Çiva, Paris, 1935
MILLER, David L.
Le nouveau polythéisme, Paris, 1979
MOOKERJEE, Ajit & ANAND, M.R.
Tantra Magic, Delhi, 1977
MOOKERJEE, Ajit
Tantra Art, New Delhi, 1966
Tantra Asana, New Delhi, Bâle, 1971
Kundalinî, The Arousal of the Inner Energy, Delhi, 1982
MOOKERJEE, A. & KHANNA, M.
La voie du Tantra, Paris, 1978
MOOR, Fr.S.
The Hindu Pantheon, Varanasi, 1964
MUKERJI, P.N.
Yoga Philosophy of Patanjali, Calcutta, 1963
MUKHERJEE, Prof. S.K.
The Science of Mantra Japa, Puri, 1974
MUKTANANDA
L'Epouse idéale, la Satî Gîtâ, Paris, 1973
MUKTANANDA, Swami
Chitshakti Vilas, Pondichéry, 1974
MUKTANANDA, Swami Saraswati
Nawa Yogînî Tantra, Monghyr, 1975
MÜLLER, Prof. Max
The Six Systems of Indian Philosophy, London, 1928
MUMFORD, John
Sexual Occultism, St. Paul, U.S.A., 1975
NAGASWAMI, R.
Art & Culture of Tamil Nadu, Delhi, 1980
Tantric Cult of South India, Delhi, 1982
NAGLOWSKA, Maria de
Le rite sacré de l'amour magique, Paris, 1932
NANDIMATH, S.C.
A Handbook of Virasaivism, Delhi, 1979

NARASIMHAIAH, B.
Neolithic and Megalithic Cultures in Tamil Nadu, Delhi, 1980
NATARAJA Guru
The Word of the Guru, Cochin, 1968
NAVJIVAN, Rastogi
The Krama Tantricism of Kashmir, Delhi, 1979
NEUMANN, Erich
The Great Mother, New York, 1965
O'FLAHERTY, Wendy D.
Siva, The Erotic Ascetic, London, 1973
PADOUX, André
Recherches sur la symbolique et l'énergie de la parole, Paris 1967
PANNIKAR, Raimundo
The Vedic Experience, London, 1977
PARAMJYOTI, V.
Saiva Siddhanta, London, 1954
PASTORI, Jean-Pierre
L'homme et la danse, Fribourg, 1980
PATHAR, S. Veeraswamy
Temple and its Significance, Tiruchirapalli, 1974
PILAY, A.P.
The Art of Love and Sane Sex Living, Bombay, 1964
PIOTROVSKI, Boris
Avant les Scythes, préhistoire de l'art en URSS, Paris, 1979
POSSEHL, Gregory L.
Indus Civilisation in Saurashtra, Delhi, 1980
PRASAD, Lalan (Singh)
Tantra, Its Mystic and Scientific Basis, Delhi, 1985
PRASAD, Râma
Nature's Finer Forces, Madras, 1946
PRASAD, Ramchandra
The Mystic of Feeling, Delhi, 1970
PRATAPADITYA
The Sensual Immortals, Los Angeles, 1977
PROJESH, Banerjee
Erotica in Indian Dance, Delhi, 1983
RADHAKRISHNAN, Sarvepalli
History of Philosophy Eastern and Western, London, 1967
RAJAN, K.V. Soundara
Indian Culture, Architecture, Art & Religion, Dehli, 1981
RAJMOHON Nath
Rig-Veda Summary, Shillong, 1966
RAJNEESH, Bhagwan Shree
Returning to the Source, Poona, 1976
The Book of Secrets, Poona, 1976
RAM KUMAR, Rai
Mantra-Yoga Samhita, Varanasi, 1976
Encyclopedia of Yoga, Varanasi, 1975
RAMBACH, Pierre
Le bouddha secret du tantrisme japonais, Genève, 1978
RANDOLPH, P.B.
Magia Sexualis, Paris, 1931
RAO, S.K. Ramachandra
Tantra, Mantra, Yantra, Delhi, 1979
Tibetan Tantrik Tradition, Delhi, 1977
RAO, S. R.
Lothal and the Indus Civilization, Bombay, 1973
RASTOGI, Marjivan
The Krama Tantricism of Kashmir, Delhi, 1978
RAWSON, Philip
Tantra, le culte indien de l'extase, Paris, 1973
Tao, la philosophie chinoise du temps et du changement, Paris 1965
L'art érotique de l'Inde, Paris, 1978
Tantra Art, Londres, 1978
REICH, Wilhelm
La fonction de l'orgasme, Paris, 1952
RENOU, Louis
Hymnes spéculatifs du Véda, Paris, 1956
L'Inde fondamentale, Paris, 1978
ROMÉ, Lucienne et Jésus
L'érotisme primitif, Fribourg, 1982
ROSTAND, Jean
Ce que je crois, Paris, 1953
SALOMON, Paule
Les nouveaux aventuriers de l'esprit, Paris, 1979
SATYANANDA, Paramahamsa
Tantra Yoga Panorama, Rajanandgaon, 1970
Prâna Vidya, Sydney, 1976
SASTRI, Nilakanta

A History of South India, Calcutta, 1976
SAYAN, Lus de
Magie des Sexus, Pan-Amrita-Yoga, Freiburg, 1966
SCHOTERMAN, J.A. von
The Yonitantra, Delhi, 1980
SCOTT, George Ryley
Phallic Worship, New Delhi, 1975
SERBRANESCO, Gérard
Les Celtes et les Druides, Paris, 1968
SHANKARANARAYAN
Shri Chakra, Pondichéry, 1970
SHARMA, Chandradhar
A Critical Survey of Indian Philosophy, Delhi, 1964
SHARMA, R.S.
Sûdras in Ancient India, Delhi, 1980
SHENDGE, Malati J.
The Civilized Demons : The Harappans in Rigveda, Delhi, 1977
SILBER, Dr Sherman J.
Understanding Male Sexuality, London, 1983
SILBURN, Lilian
Le Vijnana Bhaïrava, Paris, 1976
Hymnes aux Kâlî, Paris, 1975
SINHA, A.K.
Science and Tantra Yoga, Kurukshetra, 1981
SIVARA, Mamurti
L'Art en Inde, Paris, 1974
SNELLGROVE, D.L.
The Hevajra Tantra, Londres, 1959
SLATER, Gilbert
The Dravidian Element in Indian Culture, Delhi, Rep. 1982
SPARKS, John
La vie amoureuse et érotique des animaux, Paris, 1979
SRINIVASA BHATTA
Hatharatnavali, Secunderabad, 1982
STARHAWK
The Spiral Dance, New York, 1979
STORY, Francis
Rebirth as Doctrine and Experience, Kandy, 1975
STUTLEY, Margaret and James
A Dictionary of Hinduism, London, 1977
Ancient Indian Magic and Folklore, Delhi, 1980
SUARES, Carlo
Le cantique des cantiques selon la Cabbale, Genève, 1969
SUBRAMANIAN, V.K.
Saundaryalaharî, Delhi, 1977
SUNDARA, Dr A.
The Early Chamber Tombs of South India, Delhi, 1975
SVATMARAMA, Swâmi
Hatha-Yoga-Pradîpikâ, Madras, 1933
TART, Charles T.
Altered States of Consciousness, New York, 1969
TAYLOR, Isaac
The Origin of the Aryans, New Delhi, 1980
TAYLOR, Gordon R.
The Great Evolution Mystery, London 1983
THIEULOY, Jack
L'Inde des grands chemins, Paris, 1971
THIRLEBY, Ashley
Das Tantra der Liebe, Scherz, 1979
THOMAS, Louis-Vincent
Mort et Pouvoir, Paris, 1978
THOMAS, P.
Epics, Myths and Legends of India, Bombay, 1973
Hindu Religion, Customs and Manners, Bombay, 1975
TSONG-KA-PA
Tantra in Tibet, London, 1977
TUCCI, Giuseppe
The Theory and Practice of the Mandala, London, 1961
UPADHYAYA, S.C.
Kama Sutra of Vatsayana, Bombay, 1965
URBAN, Dr Rudolf von
La perfection sexuelle, Paris, 1960
USHTE, Tahca et Richard ERDOES
De mémoire indienne, Paris, 1977
VAJPEYI, Kailash
The Science of Mantras, Delhi, 1979
VAN DER VEER & MOERMAN
Nieuwe sporen naar het verleden, Deventer, 1972
VAN GULIK, Robert

Sexual Life in Ancient China, Leiden, 1961
VARENNE, Jean
Le Tantrisme, Paris, 1977
VELDE, Dr Th. van de
Le Mariage parfait, Bruxelles, 1930
VENKATA Reddy (trad. du...)
Hatharatnavali, Arthamuru, Inde, 1982
VERRIER, Elwin
Une vie tribale, Paris, 1973
VIDYARTI, L.P. & B.K. RAI
The Tribal Culture of India, Delhi, 1976
WAKANKAR, Vishnu S. &
BROOKS Robert R.R.
Stone Age Painting in India, Bombay, 1976
WATTS, Allan
Tao, The Watercourse Way
New York, 1975
Amour et connaissance, Paris, 1966
The Temple of Konarak, Delhi, 1957
WAYMAN, Alex
The Buddhist Tantras, New York, 1973
Yoga of the Guhyasamâjatantra, Delhi, 1977
WERNER, Karl
Yoga and Indian Philosophy, Delhi, 1977
WHEELER, Sir Mortimer
The Indus Civilization, Cambridge, 1968
WINDENGREN, G.
Les religions de l'Iran, Paris, 1968
WILKINS, W.J.
Hindu Mythology, Vedic and Puranic
Varanasi, 1972
WOSIEN, Maria-Gabriele
La danse sacrée, Paris, 1974
YOCUM, Glenn E.
Hymns to the Dancing Shiva, Delhi, 1982
ZABERN, Philippe von
Vergessene Städte am Indus,
Mainz am Rhein, 1987
ZAHNER, R.C
Hindu Scriptures, Londres, 1968
ZIMMER, Prof. H.
Les philosophies de l'Inde, Paris, 1953
Myths and Symbols in Indian Art and Civilization, Princeton, 1946

Perfectionner le yoga ne consiste pas à le compliquer, mais à le rendre plus efficace. L'ouvrage révèle les techniques secrètes de Kaya Kalpa, la méthode yogique de rajeunissement du corps. Inconnus en Occident, d'une extraordinaire efficacité, ces procédés millénaires sont à la portée de chaque adepte, même débutant : ils ne sont ni difficiles ni dangereux. Le yoga considère le sommeil profond, réparateur, à la fois comme l'indice et comme l'une des bases de la santé parfaite. Le livre expose les procédés éprouvés pour acquérir ce sommeil idéal et pour se libérer des somnifères. De nombreuses âsanas, dont certaines peu connues, sont étudiées en détail avec leurs effets et leurs contre-indications. Elles intéressent tout autant le néophyte que l'adepte plus avancé. Le volume renferme des exercices de concentration mentale et aborde la méditation, source de joie et de sérénité.

Tandis que *J'apprends le Yoga* se borne délibérément à la description détaillée d'un nombre limité d'âsanas, *Ma séance de Yoga* toujours aussi clair, précis et pratique, apporte une variété d'âsanas et de techniques yogiques à l'usage du néophyte ou de l'adepte plus avancé.

L'ouvrage inclut des indications fondamentales pour la pratique du yoga en général ainsi que des schémas de séances de yoga à l'intention des pratiquants, débutants ou adeptes expérimentés.

La majeure partie du livre est consacrée à la description détaillée de près de 50 âsanas et exercices divers, à la fois par le texte et par l'image. L'ouvrage comporte près de 200 photos relatives aux postures ! Il constitue un guide indispensable à tout adepte occidental du yoga.

Pour aider le lecteur, le livre lui propose une série de séances-type : une séance anti-lombalgies, une anti-stress, trois préparations-type et des séries destinées aux adeptes de tous les niveaux : série légère courte, une autre plus complète ; une série moyenne équilibrée vers l'avant, la suivante vers l'arrière ; puis une séance de perfectionnement vers l'avant, une autre vers l'arrière ; plus une séance de perfectionnement général.

L'OPINION DE JEAN HERBERT :

Dans cet ouvrage, le grand spécialiste qu'est André Van Lysebeth a le courage d'aborder un sujet aussi difficile que délicat, celui du prânayâma. Les auteurs occidentaux qui l'ont traité avant lui, n'ont fait preuve que d'une connaissance superficielle. Quant aux yogis hindous qui ont écrit sur le sujet, ils s'adressaient à des lecteurs indiens ayant déjà une formation préalable et vivant dans un milieu favorable à la pratique des exercices décrits. Ceux qui ont écrit directement en anglais se sont prudemment bornés à des généralités. Ne parlons pas des textes sanskrits anciens sur lesquels s'appuie tout enseignement authentique du prânayama, car ces textes sont intentionnellement hermétiques, afin qu'ils ne puissent être compris et appliqués qu'avec l'aide constante de maîtres techniquement et moralement compétents. Dans le présent ouvrage, André Van Lysebeth traite à la fois de la théorie et de la pratique du prânayâma. En ce qui concerne la théorie, il donne pour la première fois dans une langue européenne une description authentique, structurée, compréhensible pour nous et aussi complète que possible de ce qu'est le prâna, accompagnée de renseignements nécessaires sur les nâdis, les chakras, etc. (Extrait de la préface)

JEAN HERBERT…

…dont l'autorité est indiscutée, écrit à propos de *J'apprends le yoga :*

« Pendant plus de trente ans, j'ai essayé d'obtenir que de grands maîtres Hindous du Hatha Yoga décrivent pour les Occidentaux les exercices que ceux-ci pourraient faire avec profit et sans danger, en précisant toutes les précautions nécessaires. Aucun de ces maîtres n'a eu suffisamment confiance dans les Occidentaux pour accéder à ma demande. Le livre de Mr. Van Lysebeth me paraît être ce qu'un Occidental a fait de mieux jusqu'ici pour combler cette lacune. Il a eu la sagesse de se proposer un bu.t limité, la description très détaillée des postures principales et la façon de les prendre, avec ce qui est de la plus haute importance et qu'à ma connaissance aucun Occidental n'avait fait avant lui — un exposé minutieux des effets physiologiques et autres qu'a la pratique de ces postures, le profit qu'on peut en tirer, les dangers qu'il faut éviter, les contre-indications, etc.

Je crois que l'on peut avoir confiance dans ce livre, et je souhaite que M. Van Lysebeth le complète par d'autres ouvrages, où il décrira dans le même détail et avec les mêmes précautions divers autres exercices du Hatha Yoga. »